ちくまQブックス

100年無敵《むてき》の勉強法

◆

何のために学ぶのか？

鎌田浩毅

筑摩書房

本文イラスト
米村知倫

100年無敵の
勉強法
――何のために学ぶのか？

目次

目次

はじめに〈私たちは、なぜ勉強をするのか？〉

なぜ勉強をするのか？　小学校に入学して、宿題が出され、家の人や学校の先生に何度となく「勉強したか」と問われるたび、みなさんが感じてきた疑問だと思います。中学・高校時代の自由な時間は、勉強ではなく自分の好きなことに使いたいと思っている人は多いでしょう。私自身も中高生のころはそうでした。いつも「なぜ勉強しなくてはならないのか？」という疑問が頭から離《はな》れることはありませんでした。

そして高校三年になって大学受験が近づいてくると「なぜ面倒《めんどう》な受験という仕組みがあるのか？」とも思っていました。「勉強しろ、と言われるほど、やる気がなくなるじゃないか！」この本はこうした中高生の素朴《そぼく》な疑問に答える本です。

実は、勉強するのと勉強しないのとでは、人生の「質」が格段に違《ちが》ってきます。今みなさんは信じられないかもしれませんが、勉強するほうが明らかに楽しくて豊かな未来が待っているのは確実で、私は半世紀をかけて後輩《こうはい》たちに熱く語ってきました。

先に自己紹介《しょうかい》をしておきましょう。私は「地球科学」という科学（サイエンス）の一分野についての研究者です。ざっくり言ってしまえば、「私たちが生きているこの地球とは何か」について四十年以上も研究してきました。そのうち後半の二十四年間は京都大学の教授として学生たちに授業をしてきたのです。その合間には高校生や中学生にも「出前授業」と称《しょう》して授業に出かけて行きました。

つまり、自分自身が勉強し、また学生や生徒たちと向き合う中で、「勉強とは何か」「どう勉強すればいいのか」「どうやったら勉強してくれるか」を日夜考え続けてきたのです。この本では、その内容をぎゅっと凝縮《ぎょうしゅく》して、勉強の「後輩」であるみなさんに一番大切なことをお伝えしたいと思っています。

◆「活きた勉強」と「死んだ勉強」、あなたがしているのは、どっち？

さて、勉強する目的は、多くの人が期待しているように、「学歴」とか「高収入」とか「名誉《めいよ》」ではありません。こうしたこととまったく無縁《むえん》ではありませんが、この三つを目的にすると、実は勉強そのものが「死んで」しまうのです。

勉強には「活《い》きた勉強」と「死んだ勉強」の二つがあります。そしてみなさんには「活きた勉強」をしてほしいのです。というのは、「活きた勉強」はゼッタイに楽しいし、やっているうちにいつのまにか生きることが明るくなってくるからです。

その反対に、「死んだ勉強」はつまらないし、そもそも勉強することがキライになっていきます。よく大人になってから、「学校の勉強は無駄《むだ》だった」と言う人がいますが、残念なことにその人にとって、勉強は「死んだ勉強」だったのだと思います。

では、「活きた勉強」とはどのようなものでしょうか？　ひとことで言うと、勉強しているとついワクワクしてしまう「感情」が生まれるのです。

まあ、おいおいゆっくり語ることにして、私はある時から勉強が急におもしろくなって、自分でも本当にビックリしました。これが「活きた勉強」だと発見した瞬間《しゅんかん》ですが、そうした経験をお話ししたいと思います。

実は、その瞬間に、自分がそれまでいかにたくさん「死んだ勉強」をしてきたかにも気づいたのです。そして、これからの人生はぜんぶ「活きた勉強」に変えてやろうと決意しました。いったん「活きた勉強」を知ったら、もう「死んだ勉強」なんかには戻《もど》れません。それほどの大きな衝撃《しょうげき》を受けたのです。

◆「誰にもじゃまされない人生」をつかむ！

「活きた勉強」はいくらやっても飽《あ》きないし、勉強することがますます楽しくなります。そして、「活きた勉強」をしていると、他人の目が気にならなくなってきます。

実は、「活きた勉強」は自分にとっての「活きた勉強」であって、まわりの友達や先生から見たら、ぜんぜん勉強らしくないかもしれません。

もっと言えば、「活きた勉強」に熱中している姿は、親から見たら「勉強してないじゃないか！」と怒《おこ》られるようなものかもしれないのです。でも、自分が「活きた勉強」だと思ったら、それを押《お》し通して構いません。なぜならば、勉強は「自分の人生」のためにするもので、親や先生や友人のためにするものではないからです。

とにかく、今までしてきた勉強には「活きた勉強」と「死んだ勉強」があるらしい、ということだけ先に知ってください。あとはこの本を気楽に読み飛ばしてみてください。

でも、どこかに「ハッ！」となって気づくことがあるかもしれません。

その時こそ、自分にとって「活きた勉強」が始まるのです。それは、「誰《だれ》にもじゃまされない自分らしい人生」が始まる瞬間でもあります。

そうなのです。勉強の本当の目的は、「誰にもじゃまされない人生」を自分の中に創《つく》り出《だ》すことです。そして自分には「誰にもじゃまされない人生」を生きる権利があると深く悟《さと》ることです。自分の力で「活きた勉強」を発見し、それを一生かけて押し通す。こうすることで、自分だけの人生を「プロデュース」できるようになるのです。

どうですか？「なぜ勉強しなくてはならないのか？」という問いから、何だか新しい世界が見えてきた気がしませんか。「自分だけの人生」の存在を少しつかみかけた気がしませんか。では、もう少し、「活きた勉強」の考えを進めてみましょう。

◆勉強のスゴさを一度知ったら、もう戻れない

勉強したら、今まで見えなかったことが見えてきます。

それは単純《たんじゅん》に、大きな喜びです。

反対に、勉強しないと、その喜びはいつまでたってもやってきません。

とはいえ、「今まで見えなかったことが見え」なくたって、楽しく暮らすには困りません。「大きな喜び」を知らなくたって、それなりに意味のある人生を送ることはできます。だから、「勉強しないと不幸になる」というようなものの言い方は、「完全

に間違《まちが》っている」と私は思います。

勉強すると良いかどうかは、実はすごく「ビミョー」なことです。本当は、誰もが気づけることではありません。

でも、「勉強すると良いこと」を知ってしまった人は、ゼッタイに自信を持って「勉強の良さ」をしみじみ感じています。

その感じを少しずつ説明してみましょう。まず、勉強すると、人生の見晴らしが良くなります。たとえば、ビルに上っても、一階より二階、二階より五階、五階より六十階のほうがずっと遠くまで見えます。高いところに上がると、今まで知らなかった遠くの景色が見えるではありませんか。勉強するのも同じことです。人生の先まで見通せるようになり、「選択《せんたく》の幅《はば》」が広がります。

この選択の幅は、きょう何を食べようかという小さなことだけではありません。もっと大きく人生の幅が広がってくるのです。

人生の選択肢《せんたくし》は、少ないよりも多いほうが良いではありませんか。たとえ失敗しても、遠くまで見えていれば、戻る道も見えます。

だから、こういうことを知っている人は、心の中で「勉強ってスゴくいいんだぜ」

とほくそえんでいるのです。

実は、私はそうやってほくそえんでいる一人なのです。

◆京大生が「勉強コンプレックス」?!

いえ、正確に言うと、そうやってほくそえんでいる一人でした。そう、過去形です。ある時から、一人でほくそえんで、ニヤニヤ楽しんでいるのは「ちょっとマズイ」と考えるようになりました。

それは、先ほども自己紹介しましたが、京都大学（京大）の教授になったときからです。それまでの私は、自分のことばかり考えて勉強してきました。

でもまあ、自分が勉強して楽しかったら、それで世間も誰も文句は言わないし、勉強したおかげで中学高校大学とスンナリ学校を通過できたし、かろうじて就職もして運良く教授にもなれました。

しかし、京大生に教えるようになって、彼《かれ》らの多くが楽しく勉強していないことを知って愕然《がくぜん》としたのです。

彼らは、京大に入るまでは頑張《がんば》って勉強してきたのに、大学に入ったら「これで勉強から解放された！」と言いました。嫌《きら》いで苦しい勉強を我慢《がまん》して続けて、京大にやっと入れた。けれどもそれは、先ほど述べた「活きた勉強」とぜんぜん違うものではないかと私は思ったのです。

それで私の講義を受ける学生たちに、勉強の「カウンセリング」を始めることにしました。

彼らに「勉強って本当はおもしろい」、「世界を知ることはけっこう楽しい」、「勉強は何をやっても良いのだ」、「勉強はいつ始めても遅《おそ》すぎることはないよ」ということを、講義の中の質疑応答（Q＆A）でじっくりと伝えることにしました。

こうしたことを大学の定年退職までの二十四年間にしてきたのですが、その間に私とつきあった京大生はみるみる変わっていったのです。私も最初は講義がひどく下手《へた》だったのですが、終わり頃には（自分で言うのもヘンですが）「京大人気ナンバーワン教授」と呼ばれるようになりました。

それは、私が学生たちの「勉強コンプレックス」を取り除いてきたからもらえた呼び名ではないかとちょっぴり誇《ほこ》らしく思っています。そうなんです、京大生でも勉強コンプレックスがある。いえ、京大生だ、か、ら、こそ勉強コンプレックスがあるのですね。

つまり、彼らは「死んだ勉強」を営々と積み上げてきて、我慢に我慢を重ねて京都大学に晴れて入学しました。それはそれで人生上のすばらしい出来事ですが、同時に勉強の本当のおもしろさを知らずにここまで来てしまったのです。

勉強は漢字で「強《し》いて」「勉《つと》める」と書きます。だから京大入学まで歯を食いしばって「強いて勉めて」きたのでしょう。でも、それはどこか本当の勉強とは違うのではないかと、私はずっと思ってきました。だから、未来のある若者がそのままでは「マズイ」と、いつしか考えるようになったのです。

◆「ニセ京大生」たちの本気度

この本は「死んだ勉強」と反対の「活きた勉強」を見つけるための本です。今まで「死んだ勉強」しか知らなかった人も、今から「活きた勉強」に変えればまったく問題ありません。というのは、「勉強は何歳《なんさい》で始めても遅すぎることはない」からです。そして、そのうちじわじわと勉強のおもしろさが分かってくると思います。

ちなみに、京大での私の講義「地球科学入門」は、出席をいっさい取りませんでした。出席を取ると学生たちはイヤでも講義に出てこなくてはならないからです。しかし、出席を取らないと、本当に私の話を聴《き》きたい学生だけが出席します。出席のためイヤイヤ講義に出てくるのは「死んだ勉強」です。その反対に、どうしても聴きたいから出てくるのは「活きた勉強」です。

教室には京大生以外にも関係のない聴講者《ちょうこうしゃ》がたくさんいました。明らかに学生には見えない年配のオジサンやオバサン、近隣《きんりん》の大学生も混じっていました。それがどうして分かったかというと、白い紙を配って行ったQ&A（アンケート）で、そのことをちゃんと書いてくれたからです。このような「ニセ京大生」たちの質問・感想・意見には、本当に学びたい「熱意」があふれていました。

そんな大学生の一人は、大阪府堺市《さかいし》から二時間半かけて、毎週欠かさず聴きに来ていました。彼は成績を評価するための最終レポートも提出してくれました。それは文句なく100点の出来でしたが、彼は京大生ではないので、成績を付けることも単位をあげることもできませんでした。

でもその若者は、きっと充実《じゅうじつ》して学んでくれたのだと思います。だから、単位がもらえなくても満足してはるばる通ってきたのです。でも、教えた私としては、彼の書いたレポートが100点だったことを何とかして伝えたいと思っています。いずれ

「それは私です」と名乗り出てくれることをずっと待っています。

◆勉強は、「百年無敵《むてき》」の一生モノ

ここまで読んだらお分かりのように、彼にとって毎週の講義は「活きた勉強」だったのです。そして、この本でもこうした勉強をみなさんに目指《めざ》してほしいのです。

だから、今からでも決して遅くはありません。この世界のどこかに、自分にとっての「活きた勉強」を目覚めさせてくれる先生がいるのです。その先生の見つけ方もこの本の中で伝授しましょう。

この本は勉強する本来の意義や目的を考え、最後に「効率的」な勉強法を目指します。できるだけ苦労なく「ラクして」手ごたえを感じながら勉強する方法です。

それは私が「活きた勉強」を発見した中学生のころからやってきたテクニックの集大成でもあります。そして「勉強ギライ」「勉強トラウマ」の京大生たちを指導しながら、試行錯誤《しこうさくご》して見つけた勉強法でもあります。

こうした経験を学生たちに伝えるため、私は二〇〇九年に『一生モノの勉強法』（東洋経済新報社）を書きました。そののち十年が経過して全面リニューアルした改《かい》

訂版《ていばん》を、『新版　一生モノの勉強法』（ちくま文庫）として刊行しました。

タイトルにある「一生モノ」には、実は大切な意味が込《こ》められています。すなわち、勉強はその場しのぎで試験突破《とっぱ》や資格習得だけのためにするものではなく、一生役立つような知恵《ちえ》を身につけることが重要だという考え方です。

これは中高生にも当てはまることで、中学と高校で勉強した内容は一生にわたって役に立つものです。だから、学校の勉強は自分の人生にとってもたいへん大切な経験を与《あた》えてくれるのです。そして人生百年時代と言われる今こそ、「百年無敵《むてき》」の勉強法を身につけてほしいと思います。

特にこの本では、学校を卒業するまでに中高生が知っておいたらよい本質的な勉強法に絞《しぼ》って書きました。いわば私と教え子たちの「秘伝《ひでん》のテクニック」も公開したいと考えています。もしそうしたことに関心のある読者は、勉強の技術から読んでも構いません。そしてこの本に出合ったことで「活きた勉強」が始まり、学校へ行くことが楽しくなることを願っています。

鎌田《かまた》浩毅《ひろき》

第1章

つらくて苦しい受験が、なぜあるのか？

先ほど、「勉強は一生モノだ」とお話ししましたが、みなさんが避《さ》けて通れない勉強として、「受験」という仕組みが日本にはありますね。中学受験から始まって、高校受験、大学受験と、人生にはいくつも関門があります。この章では、こうした受験にどうやって立ち向かえば良いか、のお話をしていきたいと思います。

そして結論を先に述べると、**「意外にも受験は人生の役に立つ」ことを知ってほし**いのです。「役に立つ」ものならば、そんなにしんどくはなくなってくるからです。

大学受験は人生で最も大きなイベントの一つです。多くの人にとって大学は教育を受ける最後の機会であり、社会へ羽ばたく一里塚《いちりづか》でもあります。そして日本人にとって大学受験で得た知識やノウハウは、決して小さなものではありません。

いま中学・高校で学んでいるあなたたちの先輩《せんぱい》世代である私たち全員は、受験という難事を通過してきました。つまり、好きでもキライでもそうすることによって、一生にわたって役立つような大切な能力を身につけたのです。

昨今の大学では、「オープンキャンパス」と呼ばれる公開日を設けています。大学の教授が高校生向けの授業をしたり、研究室を公開したりします。また学生たちが学校生活を説明し、サークルの案内をしてくれます。

私も毎年、京都大学のオープンキャンパスでは研究室を公開し、全国からやってきた高校生に向けて話をしてきました。専門の地球科学については、日本列島が「大地変動の時代」に突入《とつにゅう》したため、今後も地震《じしん》と噴火《ふんか》が頻発《ひんぱつ》することを初心者にも分かるように講義します（本書の「おわりに」に解説しています）。

同時に、「大学受験の意義」についても高校生たちへ熱く語ってきました。そのポイントは三つあります。

大学受験は、一石三鳥！

第一に、勉強内容は一生にわたって役立つ基盤《きばん》となります。巷《ちまた》で「受験勉強は無意味だ」という意見を言う人も見かけますが、それは完全に間違《まちが》っています。

そもそも大学受験で獲得《かくとく》できる能力は二種類に分けられる、と私は考えています。「コンテンツ学力」と「ノウハウ学力」です。いったいどのような能力なのか、順番に説明しましょう。

コンテンツ（内容）学力とは、英単語や歴史年代や物理法則など、覚えた知識がそのまま使える学力のことです。私自身、受験勉強で身につけた英語力は、のちに地球科学者になってから大いに重宝《ちょうほう》しました。論文の読み書きはすべて英語で行うからです。もし受験科目に英語がなかったら、私の英語力はボロボロのままだったに違いありません。

これに対し、ノウハウ（方法）学力とは、新しい知識を獲得する能力のことです。試験日までにこなす勉強のスケジュールを組むなど、限られた時間で成果を上げる訓練を積むことで、物事を進める段取りが上手《じょうず》になります。

受験勉強はこうした二つの能力を身につける絶好の機会なのです。なお、コンテンツ学力とノウハウ学力をどうやって身につけるかについては、後ほどくわしく取り上げます。話を大学受験の意義に戻《もど》しましょう。第二の意義は、受験勉強から自分の世界が広がる点です。私たちが勉強するのは、人類の「知的遺産」を継承《けいしょう》するためなのです。スマートフォンも飛行機も、現在の生活で当たり前になっている機器はみな科学技術の成果であり、さらには哲学《てつがく》や思想も芸術も、私たちはみな人類の遺産の上で暮らしています。そうした内容をきちんと勉強すると、自分の中に知らない能力をいくつも発見できます。

「教養《きょうよう》」という言葉を、聞いたことがありますか？　教養とは、いわば世界の多様性を理解する力のことです。コンテンツ学力から醸成《じょうせい》されると言っていいでしょう。大人になって、さまざまなものを「おもしろがれる」好奇心《こうきしん》は、幅広《はばひろ》い知識から生まれます。だから、受験勉強で知識を詰《つ》め込《こ》むと好奇心が減退する、というのはまったくの見当違いなのです。

第三の意義は、大学受験を通じて、自分が何に向いているかを発見できる点です。言わば「自分をプロデュース」する力が身につく。実際、複数の教科を勉強するうちに、思いもしなかったことに興味が湧《わ》いてきます。私の研究者仲間も、多くは高校時代に自分の適性を発見したと言っています。つまり、大学受験は「自分探し」にも役立つのです。

20Fだと
さらに
見晴らしがよい
自分の可能性
能力も見えてくる!
便利で楽しい生活は、
すべて人類の
知的遺産!
20F
天気
予報
1Fより
3Fが
よく見える
飛行機
スマホ
ゲーム
インターネット
3F
1F
勉強の階段

そもそも、わけも分からずに受験勉強するのと、勉強の意味をきちんと理解して取り組むのとでは、結果に雲泥《うんでい》の差が出ます。よって、勉強の意義を最初に把握《はあく》することがとても大切なのです。

「楽しくラクにできる方法」が必ずある！

そして勉強には必ずコツがあります。各教科で「おもしろポイント」が分かれば、それからあとは楽しく勉強できます。学校で学んだ基礎的《きそてき》な内容を、受験用の技《わざ》とコツで磨《みが》くのです。

その勉強法は、一つの方法に縛《しば》られるのではなく、あれこれ試《ため》してみるとよいでしょう。多くの生徒は、ある方法だけをやってうまくいかないと、別の方法を試そうとしません。しかし、**自分に合う勉強法は必ずありますから、「試行錯誤《しこうさくご》」をしながら自分なりのメソッド、つまり自分だけのやり方を確立してほしい**のです。

まず、勉強に対する「時間の戦略《せんりゃく》」を持つことが大事なポイントと私は考えています。どういうことかというと、時間の使い方にこだわって、自分が一番効率よく勉強できる時間帯（朝なのか夜なのか）、時間の長さ（何時間続けるか、何十分やったら何分休憩《きゅうけい》を入れるか、など）、目標までの時間の使い方（ノートを復習する日、問題集をやる日、予備の日、などに分ける）など、「自分に合ったやり方」を見つけてほしいのです。

ちなみに私は、首尾《しゅび》よく合格を果たした京大生に対しても、今までのやり方をもういちど点検してもらって、各人に合った勉強法を指南しています。

時間の戦略を考えるときに忘れてはいけないのは、「やる気」を維持《いじ》することです。何ごともモチベーションが大切です。そのためには、「オン」と「オフ」の使い分けがとても重要です。

そして学校の生徒にもオフ、つまり勉強をやらない休息《きゅうそく》の時間は絶対に必要なのです。よってスケジュールを立てるとき、週に一日は遊ぶ日としても良いでしょう。やる気（モチベーション）を上手に保つため、オフをうまく組み込《こ》みながら勉強に集中する工夫をしてみましょう。

勉強は楽しくやるかつらくやるかで、結果が大きく違ってきます。どうせやるなら「楽しくラクにできる方法」を身につけてほしいと思います。探せば必ずあるのです。

もし、どうしても勉強が手につかないスランプの状態に陥《おちい》ったら、まず得意科目から始めましょう。くわしくは後で述べますが、スランプを恐《おそ》れる必要はまったくないのです。

そして勉強法はいつ変更《へんこう》してもいいので、いったん採用したらずっと続けるべきものでは決してありません。常に方法を「改善していく」やり方こそが、一生役立つノウハウ学力なのです。よって、自分で常に方法を「カスタマイズ」してほしいと思います。

一年の頑張《がんば》りが豊かな人生を創《つく》り出す

受験勉強の取り組み方に限って言えば、受験勉強は一年たらずで済むことを、まず伝えたいと思います。しかも、この一年間で経験した試行錯誤《しこうさくご》は、社会に出てから一生の「生《い》き抜《ぬ》く力」となるのです。私が勉強法の本に『新版 一生モノの勉強法』（ちくま文庫）と名づけてきたのも、この本のタイトルに「100年」と入れたのも、そのためなのです。

たとえば大学受験のように壮大《そうだい》な「実験」は、人生でそうあるものではありません。先に述べたように三つも意義があるのですから、一年くらい頑張《がんば》ってみてはいかがでしょうか。勉強を通じて自分を上手にプロデュースすることで、それをテコにして、豊かな人生を創《つく》り出していただきたいと願っています。

ここまで大学受験の話をしてきましたが、ではなぜ、多くの人が大学へ行って学ぶのでしょうか。大学に行く意味を語るとき、最初に「人生の成功とは何か」についてゆっくり考えてみましょう。私自身、人生の成功とは何かをずっと考えてきましたが、三つあると思っています。

一つ目は仕事についてです。高校生にとっては、勉強することが仕事です。つまり、目の前のことに打《う》ち込《こ》むことによって、何かを得て、少しでも成長することができれば、もうそれで大きな成功といえるのです。

二つ目は人づきあいです。人はみな必ず周囲と何らかのやり取りをしながら暮らしています。友達や親や先生など、たくさんの人に囲まれています。ここで、もし、良い人間関係の中で生きていければ、それだけでも人生は成功です。

三つ目が趣味《しゅみ》。趣味とは、好きなこと、楽しいことをして、ワクワクする時間を持つことです。本を読むのでもいいし、映画を見ることでもいい。スポーツに打ち込んだり、美味《おい》しい食事をするのでもいい。それは、仕事（勉強）とも人間関係とも違ったものです。でも、人生を確実に豊かにする何かが、趣味の中には間違《まちが》いなくあります。

そして私は、こうした仕事、人間関係、趣味が満たされるというのが、成功の三つの要素だと思います。本当は、この三つの要素すべてが、受験勉強にも関係しているのです。だから**受験は、決して試験に受かるだけが目的ではないのです。実は、受験で得られることは、人生の成功にもしっかりとつながっているのです。**

イメージトレーニングのすすめ

さて、いま成功の要素を三つ挙げましたが、ではどうやって成功に到達《とうたつ》すれば良いのでしょうか？　私のおすすめは、自分の望むでき上がり（ゴール）を最初に「イメージ」してみることです。具体的な姿を思い描《えが》くのですが、いわゆるイメージトレーニングのことです。スポーツの世界ではみんなやっているのを、ご存じでしょうか。

二〇一八年のピョンチャン冬季オリンピックの男子フィギュアスケートで、羽生結弦《はにゅうゆづる》選手がケガからの復帰直後という悪条件を押しのけて金メダルを取りました。彼《かれ》は難技と言われる四回転ジャンプを跳《と》べる姿をくり返しイメージしながら競技して、最終的に金メダルを勝ち獲《と》ったのです。

だから読者のみなさんの場合は、まず大学合格をイメージしてください。自分が志望校に合格して、来年後輩《こうはい》たちに何かを伝える姿を、先にイメージしてみるのです。

もう一つ、合格に向けて大事なことは、良いと習った方法はすぐさま実行することです。ふだん学校や塾《じゅく》の先生から、受験に必要なテクニックを教わっていると思います。それらは、実行してみなければ意味がありません。まず自分で試してみるのです。ここで、先ほど述べたように成功のイメージを持ちながら、習ったことを一つずつ実行していきます。

まとめると、**その一：まず成功のイメージを持つこと、その二：必ず実行してみること、**となります。

受験で得た知識とノウハウは一生の宝

大学受験で学ぶことは、受験が終わったからといって無視できるようなものではありません。むしろ、一生役立つような重要な能力を、受験という難事を通過することによって、私たちは身につけてきたのです。それは私自身が四十年にわたる地球科学の研究の中で感じてきたことでもあります。たとえば、英語は一生役立つ学力の筆頭でしょう。

多くの社会人が経験しているように、社会に出てから行う仕事の基礎《きそ》の多くは、受験のために必死で学習した内容です。だから青春の頭が柔《やわ》らかい時期に得た知識とノウハウは、一生の宝と言っても過言ではありません。人間は一時期でも一所懸命《いっしょけんめい》に勉強したことは、そのあと忘却《ぼうきゃく》の彼方《かなた》に消えたようでいても、決して無にはなっていないのです。

さらに、大学受験で身につけた内容は、仕事に直接関わるものでなくても陰日向《かげひなた》に役立っています。つまり、大学受験のコンテンツが人生の教養の基盤《きばん》にもなっているのです。

たとえば、世界史や日本史や地理の知識が、世界の情勢を理解し、この先どう動くのかを読み解く際に重要な基礎知識となります。また、国語で学習する古文や漢文は、日本と東洋の考え方の基本を知る重要な手段です。

しかも、こうしたコンテンツを一気に自分のものにするため、大学受験は効率よく新しい知識を入手する能力を身につけるトレーニング期間ともなっているのです。

ちなみに、私はビジネス書の読者から、「自分の人生を振《ふ》り返《かえ》ってみると、大学受験ほど一所懸命に勉強した時期はなかった」という話をよく聞きます。この「一所懸命に勉強した」こと自体が、たいへん貴重な能力なのです。目標を決めて試験日までに達成するという能力は、受験のみならずその後の人生で、必ず役に立つはずです。

よって、この本は「自分にはこんな能力があったんだ」と、読者のみなさんに気付いていただくことを大きな目的にしています。多くの読者は自分がすでに経験したことの重要性に気づいていないのです。そして持っている能力に気づくことなく、前に話題にした京大生のように、劣等感《れっとうかん》を不必要に抱《いだ》いていませんか。

その一つが、自らが体験する大学受験で身につける能力の過小評価ではないか、と私は考えています。すでに搭載《とうさい》されている能力に改めて着目することが、勉強の大事な役割なのです。そうして劣等感をじょうずに乗《の》り越《こ》える自分を、イメージしてください。

本当は、受験は決して人生の無駄《むだ》などではなく、もっと言えば「人生で役立つ勉強法はすべて大学受験から学んだ！」と言っても過言ではありません。

そのポイントは、勉強は試験のためその場しのぎで行うものではなく、一生役立つような勉強法を身につけるチャンスにする、という考え方です。そうしていくと、結果的にどんな時でも、何に直面しても、目前の問題解決に強くなってゆくのです。

「活《い》きた時間」を過ごしていますか？

「なぜ勉強をするのか」について、もう一度考えてみたいと思います。ここからは私のこれまでの経験をもとに論じてみましょう。

京都大学の講義で学生たちにいつも言っていることですが、一番大切なことは、「活《い》きた時間」を過ごすことです。すなわち、何事を行うにも、自分の過ごしている時間がつまらない時間ではなく、活き活きとした有意義な時間を持ってほしい、ということです。これは、対語《ついご》となる「死んだ時間」を人生から減らしてゆくことにもつながります。

もう一つ大切なことは、「時間というのは自分で決められる」ということです。すなわち、二十四時間の使い方を自分が決める権利があり、常にイニシアチブ（主導権）を握《にぎ》ることができる、ということです。そう思ってみると、自分の持ち時間を「死んだ時間」から「活きた時間」に変えることが可能になります。

たとえば、勉強についてもまったく同様です。何を勉強するか、どのような方法で勉強するか、いつ勉強するか、は自分で決定できます。その結果として、自分はどのような人生を送ろうとしているのかも、「自分で決められる」のです。

そして重要なことは、勉強が人生を形成するという事実です。勉強が楽しくなった人には、大きな幸せが訪れます。英国の哲学者《てつがくしゃ》フランシス・ベーコン（一五六一～一六二六）の説くように「知識は力なり」だからです。

あなたの一生
死んだ時間
活《い》きた時間
ゲッソリ…
キラキラ活躍《かつやく》
つまらない時間を減らし
イキイキと有意義な時間を増やそう
そのために勉強が必要！
勉強にも
死んだ勉強
と
活きた勉強
があります
つまんねー
オモシロイ！

ワクワクするような「人類の遺産」を知ろう

さて、読者のみなさんはさまざまな受験勉強を一所懸命にしてきたと思いますが、何のために勉強するのかを、どれくらい真剣《しんけん》に考えてきたでしょうか。もちろん受験生にとって「来年受験があるから」ですが、それだけではないはずです。その先、大学に入ってから一体どうしたいのか？　これを考えてほしいのです。

私たちが勉強するのは、大きく言うと、人類の知的遺産と財産を身につけるためです。前にもお話ししましたが、スマートフォンにしても電車にしても、みな科学技術の成果であり、中国や西洋の哲学、思想にしても、私たちは人類の勉強の成果の上に生きています。

そのような**人類の蓄積《ちくせき》してきた遺産、成果についてきちんと勉強すると、自分の中にあるまだ知らない能力を、いくつも発見できるのです。**言いかえれば、自分の中に秘められた力が湧《わ》き出るのです。

私自身の話をすると、実は大学時代は勉強がそれほどおもしろくなくて、社会に出てから火山というテーマにめぐり合いました。ここではじめて、学ぶことが楽しくなったのです。その後、地学の国立研究所で十八年間も火山の研究に没頭《ぼっとう》し、そして京都大学に採用されて学生たちに二十四年間にわたり地球科学と勉強法を教えてきました。

人類の遺産や知識の集大成を知らないと、学生に講義をしても迫力《はくりょく》が出ません。火山や地球という専門以外のこともたくさん知ったからこそ、京大いちの教育に熱心な教授として、学生たちにおもしろく教えられる、といっても過言ではないのです。

専門以外の知識も含《ふく》めて何でも教える、という私の教育方法の基盤《きばん》には、高校までの勉強の蓄積がありました。おもしろかった科目もおもしろくなかった科目も、それぞれ何らかの情報を私の中に残しているのです。そして多くの高校生は試験合格だけのために勉強すると思っていますが、実は高校で教わる内容は一生にわたり役に立つものなのです。

だから勉強は、自分を豊かにしてくれるすばらしいことではないか、と私は確信するにいたりました。**「人類の遺産」を知るはじまりが、実は平凡《へいぼん》に見える学校の勉強にある、ということを最初に知ってほしい**と思います。

第2章

「活《い》きた勉強」とはどういうものか？

勉強には「活《い》きた勉強」と「死んだ勉強」の二種類があることを、「はじめに」でお話ししました。「活きた勉強」のおもしろさを一度知れば、幸《さいわ》いもう戻《もど》れなくなります。

このことを読者のみなさんに体験していただくため、この章ではもっと具体的に紹《しょう》介《かい》していきましょう。まずは、「活きた勉強」とはどういうものか、考えたいと思います。

勉強して獲得《かくとく》できる能力には、二つの種類があることを前にお話ししました。「コンテンツ学力」と「ノウハウ学力」です。これらをどうやって身につけるかという話から始めたいと思います。

一生役立つコンテンツをゲットしよう

これまで述べてきたことの復習ですが、一つ目のコンテンツ学力の「コンテンツ」とは、日本語に訳すと「内容・中身」という意味です。受験科目には、物理や化学、世界史や日本史、現代文や古典、英語などがあり、具体的な内容をたくさん勉強しますね。数学の公式や物理の法則でも、覚えた知識がそのまま使えるのはコンテンツ学力です。

こうした中でも、英単語や歴史の年号、元素記号、生物の分類名などのすべてが世の中に出て必要なコンテンツになります。**試験対策のために具体的に覚えた知識そのものが、社会に出るとあらゆる場面で大変役に立つ。**これがコンテンツ学力を習得する意味です。

私自身、さまざまな仕事をこなす中で、コンテンツ学力が非常に役に立つことを身をもって実感しています。現在、火山の研究論文は、世界中で英語を用いて書かれます。いまや英語は、世界共通のコミュニケーション言語となっていて、自然科学の世界ではほとんどの論文が英語で書かれています。

よって、研究を始めるには、他の研究者の発表する最新情報を知るためにも、まず英語が読めなければなりません。そして次に、自分自身の研究成果を英文で書かなければなりません。つまり、英語が読めるプラス書けることは、科学者にとって必須《ひっす》の能力なのです。しかも、これは受験生が英文読解をしたり英作文をしたりするのとまったく同じ作業です。

また、私は海外で開かれる国際学会に頻繁《ひんぱん》に出かけますが、そこでは国際的な研究者やさまざまな団体の職員と議論する機会があります。そのとき、相手の英語を聞いて理解するヒアリングの能力が必須です。さらに、たとえ拙《つたな》くても自分で英語を話して相手に何とか理解してもらうスピーチの能力も必要です。

すなわち、**読む力、書く力、聞く力、話す力の四つの能力が大切で、これらを身につけられる最大のチャンスが、受験勉強なのです。**少なくとも、書く力と読む力は、受験勉強で鍛《きた》えないと伸《の》びないでしょう。

私がこうして英語で論文を読んだり書いたり、外国の研究者と会話したりできるのは、高校のときに必死になって勉強したからです。もし、あのとき英語を必死に勉強しなかったら、海外に出て調査を行い英語で研究成果を発表することは不可能だったでしょう。そのくらい受験で身につけた英語力は、将来仕事をこなす上で大切なのです。

私が教えている京大生について見てみましょう。彼《かれ》らの英語力は大学入試に合格するまではトップクラスですが、受験期間を過ぎると英語力が格段に落ちてきます。というのは、大学に入った後はあまり英語を勉強しないからです。

彼らは四年生になり、大学院の入試で英語が必修となっているのを知って、あわてて勉強を再開しています。あるいは、就職してから明らかな英語力の不足に悩《なや》んで各種学校に通っているというのが実情です。

だから、私は学生たちに、「大学合格時の英語力まで戻《もど》しなさい。そのためには受験で使った参考書を復習するとよい」とアドバイスします。すなわち、大学受験で習得する英語のレベルはかなり高いので、手入れさえ怠《おこた》らなければ、ずっと後まで役に立つものです。これがコンテンツ学力としての受験英語の強みなのです。

「時間の使い方」「情報の取捨選択」のノウハウ

もう一つは「ノウハウ学力」です。ノウハウ学力とは、ひとことで言うと「勉強の仕方」です。know-how、つまり「方法を知る」ということです。

具体的に考えてみましょう。学校の中間試験や期末試験、また大学入試に備えて勉強しますが、まず、試験当日まで何を勉強するかを考えます。つまり、要求されている勉強内容と期限に対して、合格点を取るという目標を設定します。それを達成するにはどうしたらよいかを考えることで、勉強の仕方に関するノウハウが身につきます。これがノウハウ学力の本質なのです。

特に、どうやって効率的に時間を使えばよいかは、勉強をするプロセスで培《つちか》われます。いままでダラダラと勉強していた人も、高校三年生になるとシャキッとします。「来年この大学に入りたいから頑張《がんば》らなくては」と、時間を無駄《むだ》なく使うように考えるのです。そうなると、自分の時間の使い方全般《ぜんぱん》を工夫《くふう》しなくてはなりません。前に話した「時間の戦略《せんりゃく》」を実行するということです。これがノウハウ学力が身につくということです。

また、受験勉強をすると、時間の使い方だけでなく、情報処理の仕方もうまくなります。いずれ社会に出ると、「情報の使い方が大切だ」としばしば言われます。今やインターネットでおびただしい量の情報が簡単に得られます。したがって、それらをうまく取捨選択《しゅしゃせんたく》しなければ、情報の洪水《こうずい》におぼれてしまいます。つまり、何が重要で何は不要かを的確に見分ける能力が必要とされているのです。

こういった取捨選択の技術は、長丁場の大学受験を乗り切ることによって身につきます。

コンテンツ学力
英単語
物理公式
元素記号
英文法
歴史の流れ
生物分類名
etc...
受験で
ゲットできる!
時間の使い方
勉強の進め方
(目標(ゴール)のために..)
必要な情報の取捨選択
ノウハウ学力
etc...

逆に言えば、こうした難事が人生になければ、ノウハウ学力はさほど身につくものではありません。受験勉強は、この二つの能力をゲットできる貴重な機会なのだ、とプラスの側面で捉《とら》えてもらえば、やる気が湧《わ》いてきませんか。

受験のときに身につけたノウハウは、これからの一生を支えてくれます。たかが受験と思うことなかれ。一生の宝になる技術が身につく、人生でもっとも貴重な時期なのです。

自分プロデュースのための「戦略」と「戦術」

コンテンツ学力とノウハウ学力が身についてくると、自分は何が得意で、何ができるのか、が分かってきます。さらに、自分は何者で、どうやって生きていけばよいのかに関しても、おぼろげながら分かってきます。それを知れば、自分が世の中で貢献《こうけん》できる道を見つけることが可能です。

あまり意識されていないことですが、このように大学受験には、人生全体を考えるときにも重要で隠《かく》れた役割があるのです。

ここで「戦略《せんりゃく》」という言葉を使ってみましょう。戦略には対《つい》になる言葉として、もう一つ「戦術」があります。

「戦略」というのは、自分が何になりたいか、どうしたいのかを考え、大きな枠組《わくぐ》みを立てることです。これまでも、「時間の戦略」という話をしましたね。

「戦術」というのは、たとえば数学ならばどの参考書にするのか、どのような手順で勉強するのか、などを具体的に考えることです。

戦略と戦術は、もともと軍事上の言葉ですが、今ではビジネスの世界で重要な考え方になっています。大きな戦略と、技術的な戦術の両方を意識することで、より効率的に勉強できるわけです。そして中学生や高校生の勉強にも、戦略と戦術の二つは必要なのです。

戦略と戦術は、自分を「プロデュース」するという意味でも非常に大事です（前に述べた『新版 一生モノの勉強法』〈ちくま文庫〉でも紹介している考え方です）。

たとえば、自分が将来なりたいものをイメージし、文系・理系を選択《せんたく》するのは大きな戦略です。その上で、志望大学の入試科目でどうやって合格点を取るのかを考えるのが戦術になります。そういう意味では、大学受験を考えるならば、高校一年生のときから、戦略と戦術をしっかりと意識してほしいのです。

何事を行うにも、最初に戦略と戦術を練《ね》ることを、私は中高生にすすめています。

迷ったら「好きなことより、できること」

自分を「プロデュース」する、と言いましたが、中には、好きなことや興味のあることがたくさんあって、将来なりたい職業ややってみたい仕事を一つにしぼれない、という人もいるかもしれませんね。そのような場合、進路をどう決めたらいいのでしょうか?

これに対する答えは「好きなことより、できること」です。学校の進路指導では、「好きなことを見つけて、その方向に行きなさい」と言いますが、私は「好きなことより、できること」を選んでみるよう指導しています。

実は私は高校のとき、文科系の科目が好きでした。しかし、人名や年号を覚えるのが苦手で、世界史や日本史よりも、ある公式が分かれば何とか解けるという物理や化学が得意でした。そこで、好きな文科系よりも、得意な理科系を選んだのです。当初は東京大学理科一類を目指していたのですが、受験直前になってもさっぱり成績が上がらないので、さっさと偏差値《へんさち》の低い理科二類に変えました。

理科二類は入学後に主に学ぶ科目として生物学系が入っているのですが、生物はまったく勉強していなかったにもかかわらず、とにかく東大に入ろうと思ったのです。つまり、最小限の条件だけを満たして、とりあえず前に進もうという考え方です。

これを私は「不完全法」と呼んでいます。日本人は完璧《かんぺき》主義になりがちですが、大学受験の進路指導では完璧主義をやめて、とりあえず入学できる大学に入るという考え方でいいと思います。大学に入れば、入った後でどうにかなるものです。

途中《とちゅう》で専攻《せんこう》を変えてもいいし、学部が文科系でも、大学院で理科系に進む学生も今は多くいます。大学によって専攻はいくらでも選び直せるし、学部や学科を変える制度や仕組みをどんどん利用すれば良いのです。

もっと言えば、**人生そのものが、いくらでも選び直せるのです。したがって、最初に決めた目標にこだわる必要はありません。**

ここでお伝えしたい大事なメッセージがあります。実は、勉強法で一番重要なことは、「勉強すべきでないこと」を明確にすることです。すなわち、「勉強しなければいけない」という意識をまず捨てます。強迫観念《きょうはくかんねん》のように先走っている状態から、まず脱却《だっきゃく》する必要があるのです。

もう一つメッセージがあります。勉強して身についたものは本来、ずっと継続《けいぞく》していくものです。たとえば、自転車に乗るというスキルは、いったん習得すればいつまでも失うことはありません。それと同じことで、「活きた勉強」で身につけたことは一生消えることはないのです。

そもそも勉強は、自分が好きな分野や得意な領域を見つけ、伸《の》ばすためにあります。ここを間違《まちが》うと、人生に不必要な目標を立て、無駄な努力を延々《えんえん》とすることになりかねません。だから、「勉強すべきでないこと」を自分でもハッキリさせる。ここを最初に押《お》さえることが、すべての学習の基本にあるのです。

偶然《ぐうぜん》を楽しめるかどうか

私はいつも偶然《ぐうぜん》を楽しんでいます。学生たちには、「人生は偶然に満ちています。その偶然を楽しめるかどうかがポイントだ」と語っています。そこで私の専門である地球科学から話を進めてみましょう。

人類のルーツは三十八億年前にあります。地球が誕生したのは四十六億年前で、三十八億年前になると生命が誕生しました。実は、この三十八億年の間、とてつもない天変地異

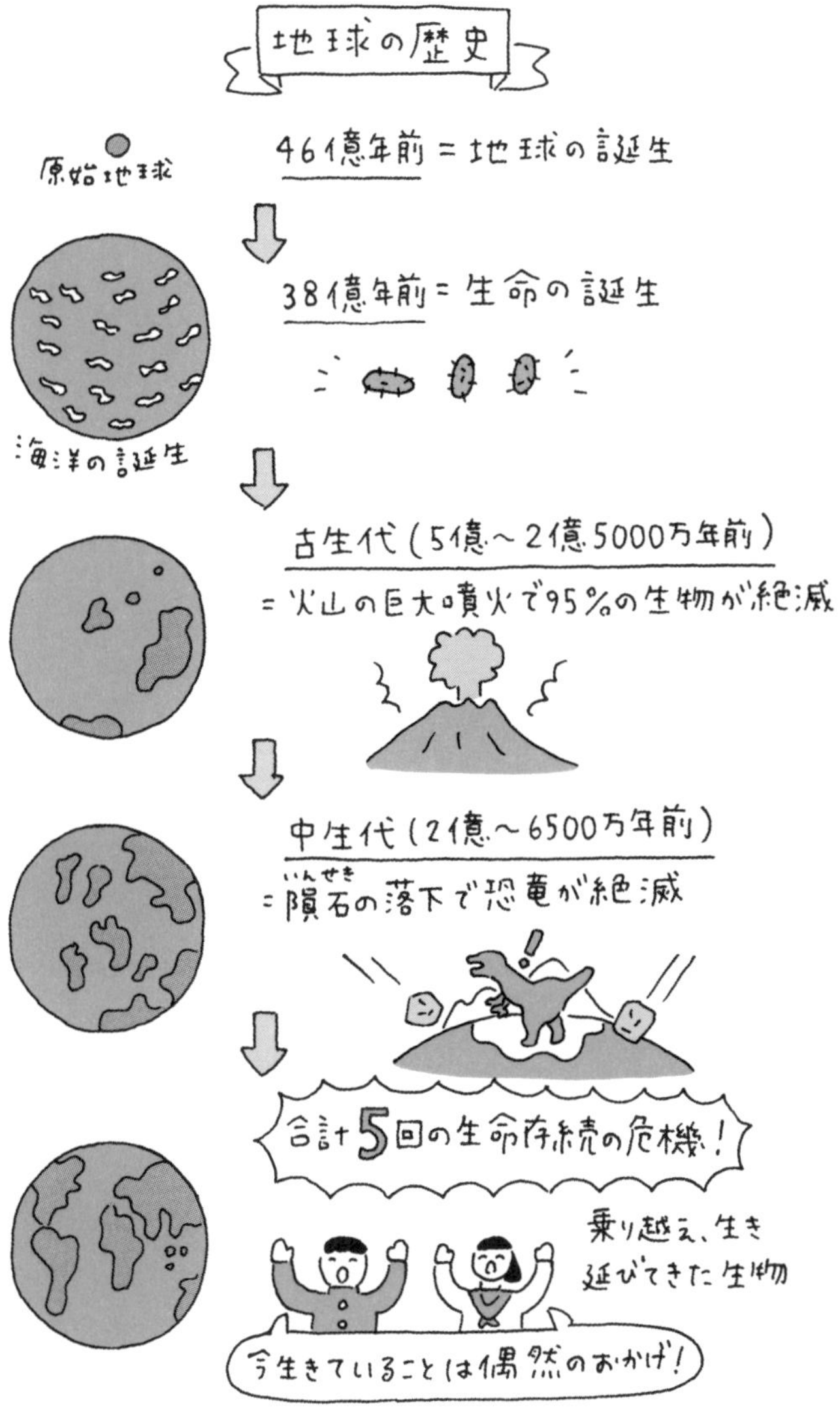

地球の歴史
原始地球
46億年前＝地球の誕生
38億年前＝生命の誕生
海洋の誕生
古生代（5億～2億5000万年前）
＝火山の巨大噴火で95％の生物が絶滅
中生代（2億～6500万年前）
＝隕石《いんせき》の落下で恐竜が絶滅
合計5回の生命存続の危機！
乗り越え、生き延びてきた生物
今生きていることは偶然のおかげ！

がありましたが、生命は死に絶えていません。

具体的に何が起こったかというと、古生代（およそ五億〜二億五〇〇〇万年前）の終わりには突然《とつぜん》火山が巨大噴火《きょだいふんか》して生物の九五パーセントが死滅《しめつ》して中生代になりました。さらに中生代（およそ二億五〇〇〇万〜六五〇〇万年前）の終わりに一個の巨大《きょだい》な隕石《いんせき》が降ってきて、恐竜《きょうりゅう》が絶滅して新生代になったのです。

そのような事件が五回も起き、そのたびに絶滅した生物の種もあったのですが、その一方では、生き残った少数が何もいなくなった世界で天下を取りました（くわしくは、私の書いた『地球の歴史』〈中公新書〉を参照してください）。つまり、地球の生命は偶然が左右するなかで、みなしぶとく生き延びてきたのです。

ですから、私たちが今この地球に存在することは、取りも直さず「偶然」のおかげなのです。すると、人生も「偶然を楽しむ」ことができるかどうかが一番大事だと思いませんか。出会った先生や、出合った授業がおもしろいと感じたら、迷わずそちらの方向に進んだほうがいいのです。

実は、私が火山学者になれたのも偶然なのです。今は火山学者をしているのに、大学時代は火山の「か」の字も知りませんでした。

前に、「不完全法」という戦略を立てて東大にかろうじて入ったという話をしましたが、入学後に数学の科目で零点《れいてん》をとってしまいました。東大では「進学振《ふ》り分《わ》け制度」という成績によってどの学部に進むのかが決められる制度があるのです。

ところが、私の平均点がすごく低いために行ける学科がなく、留年もしてしまいました。その後、まったく知識も関心もなかった理学部地学科にやっと進学はできたのですが、勉強にあまり身が入りませんでした。

このように東大には、落ちこぼれを許さない厳格な教育方針があるのですが、それが肌《はだ》に合わず、サイエンスの研究からはさっさと足を洗おうと学部四年の時に就職活動をしました。そこで入れてもらったのが通産省（現・経済産業省）地質調査所という地学の研究所でした。つまり、科学から遠ざかろうとしたのに、逆戻《ぎゃくもど》りしたわけです。

翌年の冬、仕方なく行かされた出張先で出逢《であ》った火山で、突然人生が変わりました。目の前の阿蘇山《あそさん》から噴出したマグマが九州全域を焼《や》き尽《つ》くすのみならず、火山灰は遠く北海道まで飛来し一〇センチメートルも積もったというのです。一緒《いっしょ》に来てくれた人なつこいオジサンが、阿蘇カルデラの岩壁《がんぺき》に露出している岩石を手に取って、九万年前の巨大噴火をまるで昨日見てきたかのように熱く語るのです。

そこで私はいっぺんに火山が好きになり、大学時代ロクに学ばなかったことを深く反省しました。それからは勉強を「十倍速」で開始したのです。ちなみに、この「オジサン」は世界的火山学者の小野晃司《おのこうじ》博士と判明し、以後ずっと私の師匠《ししょう》となりました。

このように火山学者になれたのも偶然の結果で、人生で出会う人も事柄《ことがら》も何らかの大切な意味があると思うのです。「はじめに」（17ページ）に、世の中には「活きた勉強」を目覚めさせてくれる先生」がきっといると書きましたが、まさに小野先生がそうだったのです。このエピソードは私が初めて書いた本（『火山はすごい』ＰＨＰ文庫）の最初の章にくわしく述べましたので、お読みいただければ幸いです。

ですから、何でも本物に出合い、すぐれた先生に出会うことが大事です。そうすると、何歳《なんさい》だろうと勉強がおもしろくなります。私の場合は、それが就職二年目に起きました。

たとえ中学生や高校生のあなたが今、おもしろい科目に出合わないからといって、それほど心配する必要はありません。進学先の高校や大学で出合うかもしれないし、社会に出てから出合うかもしれません。

出合えるかどうかのポイントは、偶然を必ずプラスに捉《とら》えられるか、にあります。つまり、自分が人生で出合うことにはすべて意味がある、と考えるのです。そうすると、人生はいっぺんに楽しくなります。

読書という出合いを活かすコツ

出会いの大切さの話をしましたので、本との出合いについてもお話ししましょう。本の中には、実際には会えないおもしろい人のお話が詰《つ》まっています。また、自分の足では行くことのできないすばらしい場所、生きることのなかった過去の時代、おどろくべき出来事などについても、知ることができます。

前に「人類の遺産」の上に私たちは暮らしていると話しましたが、本というものは、まさに人類の遺産と英知を記録したものなのです。未知との出合いが、そこにはあります。

ところで、本は読み始めたら最後まで読み切らなければいけない、と思っている人が大勢いますね。最初に断言しておきますが、**本は最後まで読む必要はありません。**最後まで読むことから離《はな》れられずにいると、「読むこと」そのものが目的となってしまい、読んだという事実だけを得ておしまいになってしまいます。それでは残念なことに、未知との出合いまで、つながらないかもしれません。

また、一冊の本を律義《りちぎ》に最後まで読もうとすれば、当然のことながら読む本の数は限られます。他に読むべき本、読んだほうが自分のためになる本があったとしても、それらを読むための大事な読書時間が奪《うば》われることになります。さらには、きっちり読まないと気が済まないことで、読書に疲れ果ててしまうことにもなるでしょう。

そもそも本は何のために読むのでしょうか。純粋《じゅんすい》に楽しみのために読むといった読書はあるものの、基本的には、**そのときの自分に必要なこと、人生にとって大切なことを吸収する、すなわち学びを得ることが目的**です。ひとことで言うと、自分の人生を豊かにするためにあるのが読書なのです。

お金を貯《た》めることや地位を上げることだけが目的になると、本来の豊かな人生が見えなくなるのと同じように、「本を読むこと」が目的になると、何のために本を読んでいるのか、何のためにこんなに本を買い込《かこ》んでいるのかが分からなくなります。まさに人生を浪《ろう》費《ひ》する「ムダな読書」が増えていくだけになりかねません。

ここで、ドイツの哲学者ショウペンハウエル（一七八八〜一八六〇）の言葉を紹介《しょうかい》しましょう。本を読んで人生を浪費する、とは彼の言葉でもあるからです。『読書について他二篇《へん》』（斎藤忍随《さいとうにんずい》訳、岩波文庫）の中でショウペンハウエルは、

「読書は、他人にものを考えてもらうことである。本を読む我々は、他人の考えた過程を反復的にたどるにすぎない」

ので、ほどほどにせよと述べています。さらに、

「まる一日を多読に費《つい》やす勤勉な人間は、しだいに自分でものを考える力を失って行く」

とも警告を発しています。

本を読むこと自体が目的化すると、その人は「本を読んでいる」のではなく、「本に読まれている」状態になってしまいます。先ほど、本は人生を豊かにするために読むものと述べましたが、それには数行でも自分の心の琴線《きんせん》に触《ふ》れた文章を見つけて味わったり、著者の言葉から思索《しさく》して自分なりの見方を確立したりといった作業が重要になります。

本を読むことが本当にみなさんの人生を豊かにしてくれるように、本が好きな人、本を読む喜びを知っている人ほど少し読書から離《はな》れ、自分を俯瞰《ふかん》して「なぜ本を読むのか」を考えてみてください。まさに読書にも「活《い》きた読書」と「死んだ読書」があるのです。

実は、本の好きな人ほど、読むことが目的となり、本に読まれている状態に陥《おちい》りやすくなります。そうなっていないか、立ち止まって振《ふ》り返《かえ》ってみることも大切なのです。なお、本をラクに読む方法は『理科系の読書術』（中公新書）と『読まずにすませる読書術』（S

B新書）で分かりやすく説明しましたので参考にしていただければ幸いです。

デジタル時代こそアナログとリアルを

本の話をしましたが、私たちの学びや勉強のためのツール（道具）として、紙の本や教科書のほかに、現在ではタブレットやスマートフォン、コンピュータなども多用されるようになってきました。

ところで、最近の学生は二十年前の学生と違って受け身になっていると思います。それは、インターネットが普及《ふきゅう》して便利になり、情報があふれていることが原因でしょう。

たとえば、私の学生時代は、聞きたいことがあれば先生のいる職員室や研究室に、直接会いに行きました。図書館で調べものをするときは、コピー機もなかったので、手で書き写していました。でも今は、聞きたいことがあればメールで返事がもらえるし、図書館に行かなくても、多くの情報はネットで調べてコピー＆ペーストで手に入ります。手元のスマートフォンやタブレットのカメラでパシャリと撮影《さつえい》することも可能です。

その結果、便利になった分、体が動かなくなりました。それによって、情報を苦労して得る本当のおもしろさや、人に出会う感動がなくなってしまったと思います。

実際、紙の辞書を引くと、隣《となり》におもしろいことが書いてあって、それを読み込むことで知識を豊かにすることができます。しかし、インターネットではこのような偶然のおもしろさがありません。必要な部分をピンポイントでコピーしたら終わりです。

学校によっては、英語の勉強で紙の辞書を使うように薦《すす》めているところがありますが、とても大事なことです。そういう意味では、実はネットが若者たちの知的活動の範囲《はんい》とメニューを狭《せば》めていると思います。

実は、私が中高生に伝えたいことは、デジタルに強くなることではなく、インターネットがもたらす世界をさらに変革する「アナログ思考」なのです。「デジタルからアナログへ」「バーチャルからリアルへ」というのが私の合言葉です。

つまり、ネットの世界はバーチャルですが、それに対して、リアルに体を動かすことが大事で、学校に行く、サッカーで汗《あせ》を流す、友達や先生と直接話をする、隙間《すきま》時間に紙の本を開いて読む、などという「リアルの世界」を意識してほしいのです。

言い方を換《か》えると、効率化一辺倒《いっぺんとう》ではいけないのです。現代社会は黙《だま》っていても効率が良くなっていきますから、逆の方向を狙《ねら》います。バーチャルな体験は、いつでもどこででももできますが、高校時代にしかできない「リアルな体験」をぜひしてほしいのです。

ノートの取り方にしてもパソコンで電子的に取る人もいますが、少なくとも高校生の間は手で書いたほうがいいと思います。ノートに手で書いて、本にも書《か》き込《こ》むことで、脳は活性化します（私の書いた『理系的アタマの使い方』〈PHP文庫〉を参照してください）。

また、教科書も本当は紙がいいのです。いずれ小学校から順番に電子教科書が導入されると思いますが、今の生徒は、紙の教科書で育ったということを逆手《さかて》にとって、誇《ほこ》りにしてほしいです。「このリアルな感覚は今だけだよ、絶対にこれを忘れるな」と、声を大にして言っておきたいのです。

第3章

秘《ひ》伝《でん》公開！ カマタ式勉強法の「戦《せん》略《りゃく》」と「戦術」

なぜ勉強をするのか、勉強をするとはどういうことか、について、前章までお話をしてきました。「活《い》きた勉強」が人生を豊かにすることについて、イメージができたでしょうか。

この章からは、いよいよ実践編《じっせんへん》です。どうやって勉強するか、半世紀にわたって私が考え、行ってきた勉強法を披露《ひろう》しましょう。題して、「カマタ式勉強法の「戦略《せんりゃく》」と「戦術」」です。

こだわらずサクサク先に進む「棚《たな》上《あ》げ法」

最初に、「棚《たな》上《あ》げ法」と「不完全法」を

紹介《しょうかい》します。

大学は研究と教育の場ですが、日夜いかに知的生産を効率的に行うかが勝負です。私はさまざまな「理系的なテクニック」を使って仕事をこなしてきました。理系的というのは、理論にかなっていて、無駄《むだ》がなく能率もよい方法という意味を込《こ》めて、こう呼んでいます。

その目的は、なるべく苦労せずに仕事をこなして、良い結果を出すことです。合理的な考え方に基づいた「理系的仕事術」と言ってもよいでしょう。この中には受験生にも役立つものがありますので、くわしく説明しましょう。

その代表的なものが、「棚上げ法」です。何かを調べていて分からないときに、一時的に棚上げにして先へ進むことです。

棚上げ法は、数学でいえば、方程式の中に変数xを置くことに相当するでしょう。「代わりの数」を充《あ》てるという「代数」という考え方自体が、数字の代わりに変数を充てるので、棚上げ法そのものなのです。

ここで重要なことは、ある時間をかけて進まなければ、それ以上は気にせず、こだわらないということです。困難に直面したときの「見切り発車」がそのポイントとなります。

すなわち、いま分からないことは無理に理解しようとせず、とりあえず先へ進む。分からないことに出合ったとき、多くの人は疑問が解決するまで金縛《かなしば》りになります。そうなる前に、理解できない所はさっさと飛ばして次へ行く、というのがその極意です。

実は、先へ進んでみると、思ったよりも簡単に理解できることは多いものです。飛ばした所で固まってしまう必要がなかったことが分かり、「なーんだ」ということになります。たとえば、本を読んでいて分からない時もそうです。読み進めてみると前の疑問が氷解した、という経験はないでしょうか。

多少の問題があっても「棚上げ、棚上げ！」と明るく唱えながら、立ち止まらず先へ進んでみるのが私のおすすめです。棚上げ法は慣れると、意外に気持ちの良いものです。

では「棚上げ」をした後には、どうすればよいでしょうか。簡単な例で説明してみましょう。かつて『分数ができない大学生』（岡部恒治《おかべこうじ》、戸瀬信之《とせのぶゆき》、西村和雄《にしむらかずお》編集、東洋経済新報社）という本が話題となりました。

一見とんでもないことのようですが、そう目くじらを立てなくてもよいのです。ここでのポイントは、分数の考え方をよく理解していない学生でも、実際には分数を使っているという事実です。

たとえば、分数の割り算の場合、「分母と分子を入《い》れ換《か》えて、かければよい」という操

棚《たな》上げ法
わからないこと
理解できない所は飛ばして先へ進む！

一時間法
数学を解く
英文読解
1h
小論文対策
脳をフル稼動できる集中できる1時間をどう使うか?!

不完全法
2問とばしてゴール！
ゴール
みっちり1問ずつ解いていたら半分も終わらない・・・・
スタート

作を知っていれば何とかなります。すなわち、理解を棚上げして、「操作」だけ行えばよいのです。

このように、棚上げしたあとには、直《ただ》ちに具体的な操作に入ってみましょう。やっている間に、理解が徐々《じょじょ》に追いつくのです。操作を現実に使っていると、あるとき忽然《こつぜん》と分かるというのは、実は勉強をしている際の「快感」でもあります。

もし、調べものをしていて三十分ほどして分からないことがあったら、そのあと五時間費《つい》やしても分からないものです。このような時間を節約するのが、棚上げ法のコツです。先へ進んでみると、あっさり解決したりする。そして全体像が見えてくると、まったく別の解決法が見つかることもあるのです。

英文や古典読解にも使える

棚上げ法は、英文や難しい古典を読む際に有効です。辞書を引きながら、一語一語ていねいに和訳していくと、いつしか根気が続かなくなり、全体で何を述べているのかさっぱり分からないまま時間切れになってしまうことがよくあります。このような「完璧《かんぺき》主義の落とし穴」にはまるのを、まさに棚上げ法によって防ぐことが可能です。

たとえば、文中に出てきた「philosophy」という単語の意味が分からなかったとしましょう。前後の文脈や、全体の内容を把握《はあく》することを優先して、その単語についてはとりあえず飛ばして読む。

すると、「philosophy」の大体の意味が分かってきたり、分からないまでもその意味を知る必要がなく問題が解けたりすることも多いのです。これが私の提案する「棚上げ法」で、時間と手間を大幅《おおはば》に省くことができます。

ポイントは、すぐには分からないことを後回しにして、できることからどんどん進むこと。そうしているうちに頭は回り出し、いつのまにか勉強がはかどることを狙《ねら》っています。

そして私は最後にこうつけ加えたいと思います。この「棚上げ法」はだれにでも理解できるものですが、「知っているだけでは意味がない」のです。あらゆる場面で、まず使ってみてほしいのです。

つまり、この方法で本当にうまくいくのかどうか、自分で実験していただきたいのです。そして、もし駄目《だめ》だったら、さっさとやめればよいのです。「実験」しながら確かめるというのも、私が京大生たちへ勧《すす》めている理系的な方法論なのです。

完璧《かんぺき》をめざさない「不完全法」の威力

「棚上げ法」とあわせて実践《じっせん》していただきたいのが「不完全法」です。仕事で一番重要なことは完璧《かんぺき》な達成ではなく、まずは期限を守ることです。実は、ノーベル化学賞や物理学賞をとるような論文であっても、当初の計画を完璧に達成して発表されたものは皆無《かいむ》といってもいいほどです。

私の携《たずさ》わっている火山学者という仕事の場合でいうと、論文や著書などアウトプットを出すことを絶えず求められています。研究の世界では、一〇〇パーセントのデータがそろわなくても、先に論文を発表したほうが勝ちなのです。

一方で、完璧な内容でも、発表が他人《ひと》より一日でも後になれば、評価はゼロになってしまいます。そのため一流の研究者は、たとえ不完全なデータでもそれを活《い》かしてどのような成果が上げられるかに勝負をかけます。言いかえれば、「内容」と「期限」を天秤《てんびん》にかけて作業しているのです。

おそらく、過去のノーベル賞も、計画の達成度は七割程度だったと思います。ここで工夫すべきは、限られた材料で、いかに質の高い論文を完成させるかということです。私を含《ふく》め理科系の研究者は、常に仕事の質と期限とのバランスを念頭に置いています。多少のアラ（粗《あら》い所）があっても、期限までに許容範囲《はんい》の内容と質で全体を完成させること。時間をうまく活用できるのは、いい加減を「良い加減」と考えて使いこなせる人なのです。

よって、どんなときでも「不完全になる勇気」を持つことが大切です。「棚上げ法」や「不完全法」を実践することで、分からないことや、未達成なことがあっても、一気に進めることが可能になります。そうすれば完璧を求めるあまり陥《おちい》る「不安」の「底なし沼《ぬま》」にはまることもなくなるのです。メンタル、つまり心の健康を保つという意味でも、優《すぐ》れた戦術といえるのではないでしょうか。

脳をフル稼働できる「一時間」をどう使うか

「時間の戦略」が必要だということはこれまでにもお話ししてきましたが、ここで具体的なテクニックを紹介《しょうかい》しましょう。

効率的な勉強をするために最初に大事な項目《こうもく》としては、時間管理が挙げられます。まず、「頭をクリエイティブに動かせるのは一日一時間まで」という考え方があります。勉強時間というのは、長ければよいというものでは決してありません。私は「一時間法」と呼んでいるテクニックですが、頭脳労働で上手《じょうず》に頭を使うための基本的な戦術です。

研究者としての私自身の経験でも、一日の中で頭が本当に創造的に働くのは、たった一時間程度です。したがって、この貴重な一時間に、何をするかが大事です。よって、もっとも頭の働く時間を、もっともクリエイティブな仕事に向けようというのです。その一時間を、みすみす無為《むい》に過ごしてはなりません。

私の場合では、火山の研究をしていて、研究がまとまると論文を書きます。英語の論文を仕上げて、何週間もかけてその英文を手直ししてゆくのです。この作業には非常に頭を使います。だから、こういう仕事には、一日に一時間だけを使います。あとの残りの時間は、資料を整理したり、岩石を機械にかけて分析《ぶんせき》したりする時間に使うのです。

そのためには、まず時間に充《あ》てる仕事の価値を、常に把握《はあく》しておく必要があります。そして①直《ただ》ちにしなければならない仕事、②あとでしてもよいが重要な仕事、③暇《ひま》なときにゆっくり楽しんですればよい仕事、などの区分けが、きちんと整理されて頭に入っていることが肝要《かんよう》です。

これは受験勉強でもそのまま当てはまります。どのような勉強が必要で、その勉強に何時間かけるのか。今すぐに取りかからなければならない試験勉強、後回しにできるけれど全体で見るととても大事な小論文対策、余裕《よゆう》のあるときにゆっくり楽しみながら覚える得意教科の勉強、などなど、全体の中の重要度と自分の手持ち時間を見比べて、頭の中で整理してみましょう。

そして、どの勉強に、本当に集中して脳をフル稼働《かどう》させられる「クリエイティブな一時間」を組《く》み込《こ》むか、考えるのです。勉強するコンテンツの中でも、いちばん頭を使うこと、最優先に体得したい内容を選ぶようにしましょう。もし、ここで何時間も使うと、頭がへばってしまって次の日に影響《えいきょう》が出ます。大事なことは、絶対に頭を使いすぎないことです。このことをはじめに十分理解しておくことがとても大切なのです。

そして、クリエイティブな一時間が終わったら、脳をクールダウンさせることを意識しましょう。ノートを整理したり、単語帳を作ったり、パソコンのデータ整理をしたりといった、あまり頭を使わない作業に取り組むのです。なお、このような時間は、スマホで好きな音楽を聴《き》きながらでもかまいません。

持ち時間にはメリハリを！

時間の戦略を立てるときに大事なことは、「時間の二分法《にぶんほう》」を意識することです。頭をフルに使う時間と、流しの作業に使う時間の二つに分けるのです。しっかり考えて頭をフルに使う時間は、自分が気合《きあい》を入れて克服《こくふく》したい内容に使います。先ほどの「一時間法」も、この考え方をもとに編み出した方法です。

たとえば、頭をフルに使う時間は、数学の問題を解いたり、英語の長文読解に充《あ》てたりするのがよいでしょう。それに対して、単語の暗記やノートの復習など比較的《ひかくてき》単純な作業をする時間は、それほど頭を使いません。

要するに、必ず自分の持ち時間にメリハリをつけるのです。

ここでのポイントは大事な仕事から最初にやる、ということです。仕事をする順番を、必ず「重要度」に応じて付けてみましょう。時間管理とは、仕事にプライオリティー（優先順位）を付けることから始まる、といっても過言《かごん》ではありません。

したがって、勉強だけに限らず、自分の日々の活動において、何ごとにも優先順位を付けて行動してください。実は、私たちがどのように時間を過ごすかというと、しばしば重要なことよりも緊急《きんきゅう》なことを先にやってしまいます。ここに問題があるのです。

たとえば、重要なことは来年三月に試験に合格すること、緊急なことは明日までに提出しなければいけない宿題だとします。すると、人は、重要なことよりも、緊急なことを優先してしまうものです。その結果、重要なことが、どんどん後まわしになってしまう。そして、重要なことをする時間が不足してしまう。思い当たりませんか？

しかし、重要なことを普段《ふだん》から優先して行うようにすれば、こうしたことはなくなります。コツコツと重要なことから始めておけば、後になって時間に振《ふ》り回《まわ》されずに済みます。

まず自分の日常を振り返ってみてください。

「十五分法」で集中力を制する！

時間の戦略についての話を続けましょう。こんどは、集中力を生かすための別の選択肢《せんたくし》を紹介します。人間の集中力の持続時間を意識した「十五分法」と言われる手法です。最小の時間単位を十五分とし、その間はゼッタイに集中するという方法です。

たとえば、テレビドラマを見ていると、およそ十五分ごとにコマーシャルが入ることに気づきます。みなさんが小学生のころなどに見ていたアニメも、三十分の放送時間のうち、真ん中の十五分でコマーシャルが入っていましたね。

これは、人間がストーリーに集中できるのが十五分なので、そこに休憩時間《きゅうけいじかん》を置いているわけです。十五分に限って集中するのが理にかなっている証拠《しょうこ》です。

逆に言えば、人間は少なくとも十五分は、どんなにつらいことでも集中して取り組むことができます。だから、とにかく十五分は頑張《がんば》る。苦手な勉強でも十五分だけならば頑張れるでしょう。

あるいは、十五分ずつ次から次へと勉強する中身を変えていくのも、集中力を保つのに非常に効果的です。十五分ごとにゲームをクリアしたような達成感を味わうことが、十五分法をうまく使いこなすポイントなのです。

さらに、「十五分法」のアレンジとして、「四十五分法」というテクニックもあります。四十五分法というのは、まず六十分の一単位を、四十五分と十五分に分けます。問題集を解くのであれば、最初の四十五分を得意な問題に割り当て、勢いに乗って勉強を進めます。そして、加速をつけた状態で一気に最後の十五分で不得意な問題に取り組む、というわけです。

この後で紹介する「呼び水法」（79ページ）を時間枠《じかんわく》に当てはめて、システム化した手法といえましょうか。はじめの四十五分がまさに後の十五分のための呼び水に当たるのです。

ここでのポイントは、最後に十五分問題を解いたら、それ以上は延長しないことです。そしてスタートからの一時間ですべての勉強をやめる、ということです。トータルで一時間を過ぎると、脳の集中にも限界が訪れます。やりすぎは停滞《ていたい》のもとになりかねません。

「オン・オフ」を必ず切り替えよう

長丁場《ながちょうば》の大学受験では、やる気、すなわちモチベーションを維持《いじ》することも重要です。実は受験生にはオフ（休息の時間）も必要で、オフを上手に組《く》み込《こ》んでいることで、長い戦いを乗り切れるのです。

いくら勉強優先といっても、週に一日くらい遊ぶ日を作らないとやる気が失《う》せていくでしょう。たとえば、私は受験生時代も週に一回は映画を見に行きました。すなわち、モチ

1週間では
月 火 水 木 金 土 日
ON ON ON ON OFF ON OFF
休息のお楽しみの日
または、足りなかった分をやる予備の日
1時間では
音楽をききながら復習
OFF
ON
ON
ON
1h
-45分-
集中して過去問にチャレンジ!
OFFに何をするか?
1 好きなこと
2 ボーッとする
3 人生をふり返る
人生

ベーションを維持するために、最初からお楽しみの日を組み込んでおくということです。その日のために、ほかの日は勉強をがんばる、というようにしたのです。

では、一日の時間の使い方ではどんな工夫をすればいいでしょう。入試の時間割はたいてい六十分もしくは九十分単位です。よって、六十分もしくは九十分を一コマと考えて、一コマやったら休憩するという方法をすすめています。実は、学校の授業がある日の勉強時間は、一日トータルで二コマ程度でもいいのです。

すると高校生や大学生からこういう質問を受けます。「何時間も勉強し続けて、途中《とちゅう》で持久力が切れたときは、どうすればいいのでしょうか？」

私は**そもそも長時間続けて勉強するのではなく、途中で上手にオフを入れて勉強してほしいとアドバイスします。**そのほうが効率がずっと上がるからです。だから、先の質問の前提について、まず考え直してみてほしいのです。

オフにはどんなことをする？

くり返しになりますが、オフを組み込むことは勉強法としてとても大事なのです。オフとは勉強以外に何かをすることで、遊んだり趣味《しゅみ》を楽しんだりすることを言います。次に、こうしたオフには三つの要素があるので説明しましょう。

オフの一つ目は、**勉強以外の何かに熱中すること**。スポーツや音楽に集中してもいいし、映画やコンピュータゲームに熱中するのもよい。

二つ目は、**ボーっとして過ごす時間をもつこと**。どこか外へ出かけて、すがすがしく気持ちのいい環境《かんきょう》の中でボーっとする。反対に、部屋の中でゴロッと横になるのもよいです。ゆったりとお風呂《ふろ》につかるのも二つ目のオフになります。

そして三つ目は、**自分の人生を振り返る時間をもつこと**です。広い公園や見晴らしのよい河原《かわら》へ行って、ひとり静かに時間を過ごすのもいい。普段《ふだん》、一所懸命《いっしょけんめい》勉強したり、恋愛《れんあい》したり、スポーツしたりしていそがしく過ごしている自分を、**ちょっと高いところから別の自分が見る**という感じです。室町《むろまち》時代に能楽を創始した世阿弥《ぜあみ》（一三六三〜一四四三）が「離見《りけん》の見」ということを書き残しているのですが、こうした瞑想《めいそう》の状態です。

ですから、**持久力が切れてしまったときこそ、思いきってオフをとってみましょう**。**忙《いそが》しく勉強する合間に、このような三項目のオフを上手に入れることが大切なのです**。

受験はマラソンなので、上手にオフを取り入れた人が最後には勝ちます。そしてこのオフこそ「教養」と結びついているのです。教養に関しては後の章でゆっくり説明しましょう（110ページ）。

そもそも人間はずっと仕事に集中できるわけではありません。脳も身体もフル稼働《かどう》で活動をしたら、その後にはブレーキをかけ休息《きゅうそく》する時間帯も必要です。

だから勉強をしていてもし気分が落ち込んできたら、思い切って作業を中断しましょう。「もうちょっとできそうだ」と思えても、決して無理をしないで休憩《きゅうけい》をはさむのです。

身体が休憩を欲したら、一も二もなく従ってしまうのが得策です。肩《かた》や腕《うで》や腰《こし》が硬《かた》くなってきたら、ちょっと体操したり建物の周囲を一回りしたりして散歩してみましょう。体の一部を動かすだけで、体が軽くなり気分もリフレッシュします。

眠《ねむ》くなったら、十五分目を閉じるだけで大分違《ちが》います。眠《ねむ》るのが難しければ、スマホで好きな音楽を聴《き》きながらゆっくりしているだけでもリラックスできます。腕《うで》を組んでほんの一分程度目を閉じているだけでも、頭の機能は確実に回復します。疲《つか》れや眠気による能力の低下や時間のロスを考えれば、こまめな休息をはさんだほうがずっと得策なのです。

ちなみに、こうしたオフの戦略は、この本の次に身につけてほしい時間の使い方を指南した『成功術　時間の戦略』（文春新書）という本でていねいに解説しました。ぜひみなさんには「時間の達人」になっていただきたいと願っています。

睡眠《すいみん》のススメ

睡眠《すいみん》の話が出ましたので、これについてもアドバイスしましょう。睡眠時間はどのくらい確保したほうがいいのか、眠るべきか、試験前は削《けず》ってでも勉強すべきか、たしかに考えどころですね。

実をいうと、睡眠に決まりはありません。そもそも睡眠時間は自分の身体の声を優先して決めるのが一番良いのです。くわしく説明しましょう。

人間が遅《おそ》くまで起きて夜更《よふ》かしをするようになったのは、電力が安定的に供給されるようになった近代以降にすぎません。それまでの人類は朝日が昇《のぼ》ったら目を覚まし、日が暮れたら寝支度《ねじたく》を始めるという、自然に逆《さか》らわないペースで寝起きを繰《く》り返《かえ》してきたのです。そうやって何千年もやってきたわけですから、基本的には「早寝早起き」が人間の身体に備わった本来の睡眠のあり方と言えるでしょう。

ただし、それを踏《ふ》まえた上で睡眠時間には個人差があると思います。八時間眠らないと頭が働かないロングスリーパーもいれば、四時間寝ただけで何の支障もないショートスリーパーもいます。要は、自分の体質に合った睡眠時間を知るのが第一です。

私は原則として夜は十二時ごろ就寝《しゅうしん》し、午前六時ごろに起床《きしょう》しています。ただ、あまり神経質に睡眠時間にこだわってはいません。夕食のあと、どうしても眠くなったら午後十時に就寝してしまう日もあり、夜中の三時まで仕事をしている日もあります。

社会人として働いていれば、起きなければいけない時間は決まっています。それは、通学や諸活動でいそがしい中高生のみなさんも一緒《いっしょ》ですね。だから疲れた日にはいつもより早めに寝てしまいましょう。とくに、大きな役目の発表や行事があったり集中して作業や勉強を進めたりした日には、たっぷり睡眠を取りたくなるものです。

人間は頭を使うと、必然的に睡眠時間が長くなります。こうした場合には、睡眠時間が長くても何の問題もありません。逆に言えば、身体に忠実という意味では、睡眠が短くていいときもあります。私は睡眠時間が四時間で良いこともしばしばあります。だから頭が冴《さ》えて眠れない場合、本を読んで過ごす夜があっても良いのです。

私の知人は「深く眠ることがいちばん大切」と言います。どれだけいそがしくても夜十二時前にはベッドに入るそうです。同じ睡眠時間を取るのでも、眠りの深さによって体力の回復が大きく違うのです。これが「自分の体の声に従った睡眠法」ということです。

よって、私はいつも学生たちに、自分なりの睡眠・リズムを体得してほしいと語っています。いろいろ試行錯誤してみたら良いのです。だからみなさんも**自分の身体に合った睡眠の時間帯を見つけ出し、就寝や夕食の時間を工夫してみてください**。

次に、心地《ここち》よい睡眠をとるにはどうすればよいのかについても触《ふ》れておきましょう。もし寝る前に飲むのであれば、ホットミルクがおすすめです。ミルクに入っているカルシウムは、神経を穏《おだ》やかにして安眠をもたらす作用があります。体を温《あたた》めると同時に、胃に負担をかけないためにも温めてゆっくり飲むのが効果的です。

試験は「ドライに」乗り切ろう

ここからは、中高生のみなさんが経験しているであろう数々の試験をどう乗り切るか、という点に着目してお話ししたいと思います。

試験は「ドライ」に、というのがキーワードです。**徹底的《てっていてき》に効率主義で、ドライに割り切る**。合格さえすれば、満点でもギリギリでも、合格としては同じことなのですから。

勉強に完璧《かんぺき》主義は禁物《きんもつ》です。細部にとらわれると全体が見えなくなります。

とにかく必要なところだけ勉強したら、あとはそれ以上勉強することはありません。もしまだ勉強し足りない気分であれば、次のテストに向けて新しい勉強にトライしたほうが賢明《けんめい》です。

何でも完璧にしなければ気がすまない人がいますね。それは、こと試験勉強について言えば、時間と労力の無駄《むだ》でしかないのです。世の中には良い参考書がたくさんありますが、全部やるのはもともと無理な話です。

だから、一冊の参考書を買ってきて、一年の間できちんと計画して仕上げることが、大切になってきます。これはどのように持ち時間を使うかということにつながります。

実際、受験勉強となると、やってみなければ分からない壮大《そうだい》な実験です。こういう機会は人生にそうあるものではありません。そして受験勉強は自分を「プロデュース」する壮大な実験なのです。この大学受験という経験が人間を大きく成長させるのは本当です。

何でもそうでしょうが、一所懸命《けんめい》やらなければ成果は得られないものです。そして大学受験の受験勉強は一年くらいで済むのです。ですから、たった一年くらい一所懸命やってみよう、というメッセージをぜひみなさんに伝えたいのです。

多くの日本人は受験勉強について誤解をしていますから、すぐ「いったい何に役立つのか」と疑うのです。しかし、チャレンジもしてみないで一生を終わるのはどうかと思います。私自身は勉強したおかげで、今スゴクおもしろい人生を歩んでいます。勉強に誠実に取り組んでみれば将来ためになることが必ずあります。これだけは間違いありません。

苦手分野を克服《こくふく》する「呼び水法」とは？

さて、試験勉強をどのように進めるか、具体的にお話ししましょう。

試験では、自分が苦手な分野も出題範囲に入っていることがありますから、どう勉強したらいいか悩《なや》むことがあります。苦手な分野につまずくと、そもそも勉強に身が入らないといったことがあるかもしれませんね。

苦手な分野では、最初は復習からスタートするのが鉄則です。その際には、決められた科目の中で一番やりやすく、一番得意なことから着手するとよいでしょう。そこで「呼び水法」というテクニックを紹介しましょう。

井戸から水をくみ出そうにもなかなか出てこないという時、上から少しだけ水を入れてやり、その後で連続的にくみ上げるようにするとうまくいきます。これが呼び水と呼ばれるものですが、勉強のスタートに関してもこのような方法は有効です。

英語であれば、すでに単語を調べ終わっていて、スラスラと読みこなせるテキストから読み直します。最初に、ウォーミングアップを十分にしておきます。その後、調子が乗ってきたところで、まったく新しい英文を読み始める、という感じです。

言わば、復習こそが「呼び水法」の最大のテクニックなのです。割合で言えば最初一〇パーセントぐらいは復習からスタートするのが、上手に軌道《きどう》に乗せるコツです。ここでうまく動き出したら、新しいことにもチャレンジするポジティブな気分が湧《わ》き出してきます。

私は勉強のスタートをいつも得意科目から始めることを勧《すす》めています。えてして人間というものは、不得意なものが気になる。そこを何とかしよう、と考えてしまうものです。しかし、もともと不得意なものは、すぐにはかどるものではありません。なかなか頭に入らないので、しんどくなったりします。そうなると挫折《ざせつ》までまっしぐらになりかねません。

たとえば、日本史が得意で数学が苦手なら、初めに日本史を勉強した後で苦手な数学を始めてください。そうすれば、ぐんと良い状態でスタートが切れます。毎朝、気分良く勉強を始めるというのは、とても大切なテクニックなのです。

さらに、**勉強がうまくいかないときには、自分の意志の弱さを決して責めないでくださ**

い。悪いのは自分が作ったシステム（仕組み）だと思えばいいのです。システムがたまたま悪かっただけであり、あなたは何ひとつ悪くはない。しかも、そのシステムはいつでも変えられるのです。このように、システムを他人事《ひとごと》のように見なすことが大事です。「ドライに」という鉄則を、ここでも思い出しましょう。

同じように、自分が立てた計画も、うまくいかなければ他人事のように切《き》り離《はな》してみましょう。そもそも計画に振《ふ》り回《まわ》されるということ自体が考えものです。スケジュールの遅《おく》れがプレッシャーとなり、ペースを乱しては元も子もありません。ここでも完璧主義者になってはいけません。不完全に対して、勇気をもって受け入れることが大切です。

勉強に迷いが生じたら、システムに問題がないかをまず検証してみましょう。思い切って、システムを組み直すのも手です。自分の中だけの話ですから、誰《だれ》にも遠慮《えんりょ》する必要はありません。

「割り算法」を使って時間の戦略を練る

無理なく長期にわたって勉強を続けるには、気力や努力ではなく「システム（仕組み）

に任せる」姿勢が大切です。では、その「システム」をどう作るかを説明しましょう。これも「時間の戦略」に直結します。まず「勉強すべき内容」と「持ち時間」を、それぞれきちんと紙に書き出してください。自分の持ち時間の中で、勉強すべき量の位置付けを最初に明らかにします。あとはそこから逆算して、もうちょっと細かく一か月・一週間・一日単位でのスケジュールを設定していきます。

その際、取り組むべき勉強内容を、具体的に分類しておくことが先決です。どの科目をやるのか、どの問題集を解くのか、どの講習に通うか……。Ａ３くらいの大きな一枚の紙に書き出していくのもよいでしょう。

ここでは頭の中で考えるだけでなく、紙に書き出して「見える化」することが大事です。紙に書き出して、具体的に分解してみる。それを一望することによってスケジュールが立てやすくなります。それと同時に、スムーズに次の行動に着手できます。

取り組むべき問題集や参考書が決まっている場合には、締《し》め切《き》り日（試験なら受験日）までの持ち時間をもとに割り出す（つまり割り算する）のが順当な方法です。これを「割り算法」といいます。学校の定期試験でも簡単《かんたん》に試せる方法です。

「もうちょっとやりたいんだけど」でストップしよう

ただし、目標とする試験日に帳尻《ちょうじり》を合わせようとして、一日に大量の項目《こうもく》を割り振っても挫折《ざせつ》を招くだけです。一日に進められる勉強量は、時間はもちろん、体力とやる気にも大きく左右されます。毎日の勉強時間を五時間などと設定しても、続かないのが目に見えています。

無謀《むぼう》な計画は、気持ちの空回りを招き、結局は取《と》り越《こ》し苦労や挫折《ざせつ》につながります。それよりは、毎日一時間でもコツコツ勉強して、「もうちょっとやりたいんだけど」というくらいでストップしておくほうが、はるかに長続きするのです。

たとえば、問題集に取り組むなら、無理に全問をこなそうとはしません。一問おきでも二問おきでも最後まで完了《かんりょう》させるスケジュールを組むのです。ここでは、目標まで到達《とうたつ》しやすいシステムを先に構築することがコツです。

つまり、**計画にあたっては、一〇〇パーセントを埋《う》める日程でスケジュールを組まないことです**。そして、**スケジュールに二割くらいの余裕《よゆう》を見ておくことがポイントです**。最初に二割の余裕を「遊び」として確保しておき、スケジュールがずれ込んだときの調整期間とします。この調整期間がバッファー（緩衝《かんしょう》材料）となります。私は「バッファー法」と呼んでいますが、これだけのことで気分がずっと楽になります。

二割の「遊び」は不測の事態に対応するためだけではありません。たとえば、行きの電車の時間は英語のヒアリング用に組み込んでも、帰りの電車では音楽を聴《き》いてリラックスするという具合に、一日のスケジュールの中にちゃっかり「遊び」を設けておくのです。

すなわち、「遊び」は仕事や勉強とは別に「楽しみの時間」として組み込まれていることが大切なのです。ここはそのまま息ぬきに使っても良いし、緊急時《きんきゅうじ》に勉強に充《あ》てるための予備時間として役立てることもできます。

そうやって最初のシステム設定に頭を使えば、あとは試験日が決まっているのですから、たんたんと日課をこなしていくだけです。繰《く》り返《かえ》しますが、根性なしにラクして成果を出すことがここでのポイントです。スケジュールを見積もったら、あとは問題集に向き合うだけでよいのです。

スランプがきたら「ようこそ」と思え

とはいっても、勉強していればだれでも停滞期《ていたいき》が来るものです。たとえば、どう頑張《がんば》っても、まったくやる気が起きない、という事態に直面することがあるでしょう。いわゆる「スランプ状態」です。

実は、スランプは大変重要な脳のシグナルであり、悪い面ばかりではありません。どんな優《すぐ》れた人物にも、必ずスランプは訪《おとず》れます。

よって、スランプが来たら、「ようこそ」と言えるくらいの精神状態が、結局は脱出《だっしゅつ》を早めます。私の場合、スランプがやってきたら「しめた！」と思うようにしています。

ここで、すぐに焦《あせ》らないことです。そもそもスランプは、脳による「休息命令」のサインです。もしくは、今選択《せんたく》している方法に根本的な無理がありますよ、というサインなのです。したがって、抵抗《ていこう》せずに素直に従うことです。

少しでも勉強を続けた経験があれば、スランプなのか単なる怠《なま》けなのか、自分が一番よく分かっているはずです。「自分は意志が弱いから」などと余計なことを考え始めるから、スランプが長引くのです。悩《なや》みの下方スパイラル（悪循環《あくじゅんかん》）に陥《おちい》ってしまうのです。

あれこれと思い迷う前に、「朝八時に机に向かうのは、すでに決めたことだから」と、とにかく机に向かってみる。これが「勉強をシステム化する」ということです。

そして自分は今スランプだと思ったら、勉強をさっさと中断しても良いのです。そのためにも先ほど述べた二割の「遊び」があります。事前にバッファーを組み込んでおく。いっそのこと、このバッファーを使い切っても構いません。

そこからもう一度、勉強計画をゆっくり立て直せばよいのです。気持ちを切《き》り替《か》えれば、新たなスタートが切れます。こうしておけば、勉強時間に多少不規則な日があっても、思うように進まない日があっても、最後に帳尻《ちょうじり》を合わせることができます。

そして自分にピッタリと合ったシステムができ上がるまで、どんどん変えていく。ここでのポイントは、計画はうまくいかなかったらすぐ変更《へんこう》してもよい、ということです。究極的には「自分自身をカスタマイズする」ことが目的なのです。

「なぜその試験を受けるのか」を意識しよう

大学受験のための勉強は、通常の学校の勉強がベースになっています。しかし、受験での試験対策は、普段《ふだん》の学校の試験とはかなり性質の違うものが必要です。

つまり、学校では全員に同じことを教え、生徒もみんなそのことだけを勉強していればいい。一方、受験勉強は各人が異なるので、一人ひとりが志望校に特化した戦略を立てなければなりません。したがって、受け身の勉強法から脱却して、主体的に自分の勉強をプロデュースしていかなければいけないのです。

ここで最初に押《お》さえておきたいのが、「その大学の試験をなぜ受けるのか」ということです。まず受験の目的を明確にするのです。そのうえで、以後の試験勉強は、徹底的《てっていてき》に効率主義で取り組むことが肝心《かんじん》です。

端的《たんてき》にいってしまえば、採点する側が求めることに対して、ピンポイントで的確に答えるために必要な勉強を集中的に行う。英語なら、まんべんなく単語を覚えるのではなくて、「出題が予想される単語」から優先して覚える。このように受験勉強は、とてもシンプルな原理で成り立っているのです。

私は中学生のころ、学校の先生から「英語と数学はコツコツ勉強しなければいけません」と教えられました。言われてみると、たしかにその通りです。日本史や生物なら、試験前日に一夜漬《いちやづ》けで暗記すれば、そこそこの点数を稼《かせ》ぐことができます。

しかし、英語や数学は違います。一晩だけ努力したところで、問題をすらすら解くことは不可能です。階段を上《のぼ》っていくように、勉強を毎日積み重ねる必要があるのです。

当時の私が、英語力アップのために活用したのが英検（実用英語技能検定）でした。語学には「読む」「書く」「聞く」「話す」の四要素がありますが、英検の問題は、これらをすべて押さえています（厳密に言えば、「話す」試験は三級以上に課せられています）。

また、英検の場合、試験日程が年三回と決まっているので、試験日を目標にして勉強計画が立てやすいのも魅力《みりょく》です。また書店で過去問題集や参考書が簡単に手に入るので、取り組むべき内容もはっきりしています。ちなみに「聞く」と「話す」に対しても、それぞれ優れた教材が用意されています。

英検対策の勉強を続け、級位を上げていけば、無理なく英語力をアップできるはず。つまり、「資格を取る」という発想で私は英語力を高めることにしたのです。何だか中学生ながらビジネスパーソンみたいな考え方をしていたと思います。こうしてシステマティックに英語を勉強した結果、中学二年で三級に、高校一年で二級に合格しました。それに伴《ともな》って苦労なく、かつ着実に英語力を身につけることができたのです。

私の英検体験は、試験に関する二つの大事なポイントを表しています。一つは上位の級をとるという具体的な目標を掲《かか》げることで勉強のモチベーションが上がること、もう一つは、試験に受かるための最小限の合理的な勉強をすること、です。そして試験勉強には「こうすると効率的だ」というノウハウが必ずあるのです。

繰《く》り返《かえ》しになりますが、よく知られた勉強法のノウハウを徹底的に活用すれば、英語もラクに勉強できるようになります。くわしくは『一生モノの英語勉強法』と『一生モノの英語練習帳』（いずれも祥伝社新書《しょうでんしゃ》）に記したテクニックを参考にしてください。

ラクにできる仕組みを探してどんどん変えていこう

大学受験で最も大事なことは、合理的な勉強法のシステムができ上がっていることです。しかも、こうしたシステムは無理なく持続できるものでなければなりません。もし、今のシステムが不便だったら、さっさと新しいシステムに変えます。すなわち、勉強法を自分に合ったものに「カスタマイズ」するのです。

ここで大事な点は、新しく採用するシステムは、現在行っているシステムよりも楽でなければならないということです。たとえば、整理のために人が費やすエネルギーというのは、実は膨大《ぼうだい》なものです。もしそこで苦労が増えてしまったら、逆効果だからです。

だから新システムは、いずれもエネルギーが少ない場合に意味があります。

実は、楽をするというのは、科学技術の基本にある考え方です。もともと科学者は楽をしたがる人種なのです。しかもシステムで世界を理解するという考え方も持っています。よって私たちは「楽ができるシステムはないものか」と、いつも模索《もさく》しているのです。

先に挙げた「棚上《たなあ》げ法」と「不完全法」は、私が提案するノウハウ学力のなかでも、もっとも省エネルギー型のテクニックです。心の消費エネルギーを減らすことのできる優《すぐ》れた勉強法を、みなさん自身でぜひ「カスタマイズ」していただきたいと思います。

二問飛ばしでも良いから一冊やりきる

これだけはやろう！　と決めた問題集でも、最後までやりきれなかったりします。意気込《ご》んで頑張《がんば》っても、三分の二までしか進まないこともあるでしょう。では、その場合には何が悪かったのでしょうか。

それは、最後までできるように、きちんと時間割を把握《はあく》していないからなのです。

自分の持ち時間を見て、二問飛ばしでよいから、おしまいまで完了《かんりょう》するスケジュールを立ててみましょう。何でしたら五問飛ばしでも、一〇問飛ばしでもいいのです。とにかく最後まで行き着くことが重要です。先ほど述べた「不完全法」の活用です。

勉強する際には「達成感」がすごく大事です。きちんと自分のできる範囲《はんい》で、時間を割り算して達成させることは、一番大切なことです。薄《うす》い問題集でもきちんとやりきれば、その科目を征服《せいふく》した気持ちになります。これがいずれ得意科目に発展していくのです。

実は、こうしたプロセスは私の四十年以上行ってきた研究でもまったく同じです。たとえば、火山のフィールドへ出かけて行って、五百個の石を採取するとします。でも五百個すべてを分析《ぶんせき》しようとしたら、十年かかるかもしれません。十年もかけて一編の論文しか書けないのでは、あまりにも時間がかかりすぎです。研究が古びてしまうからです。

ここで、来年ぐらいには何とか仕上げたい、と考えたら、手帳を見てスケジュールを割り算します。来年まで最大何個分析できるか、を先に見積もるのです。そして、その数が五十個だとします。分析できるのが五十個なら、集めた五百個の十分の一です。まず、この数をしっかりと終わらせて、当初の目的を達成する。

ここで、五百個やらなければダメだと考えると、何も進まない。完璧《かんぺき》主義に陥《おちい》って途中《とちゅう》で投げ出すよりは、十分の一でも完成させるほうがよほど良いのです。私が発表した五十個の結果を、他の火山学者も使えるようになりますから、学問がまた進歩するのです。

それは、問題集を二問ずつ飛ばしながら解いていくのと、まったく同じことでしょう。よって、**完璧主義を捨てて、できる方法で何とか最後まで完成させる。そうやって全体をつかめば楽に達成できる**のです。

たとえば日本史ならば、古代からゆっくりと勉強して、江戸《えど》時代くらいで時間切れになる高校生がいる。ここで終わってしまい、配点の高い明治時代・大正時代・昭和時代をやらなかったら、受験には不利でしょう。

話が少し脱線《だっせん》しますが、私の高校時代の日本史の先生は変わった授業をしていました。明治時代の条約改正で活躍《かつやく》した青木周蔵《あおきしゅうぞう》（一八四四〜一九一四）について研究していた坂《さか》根義久《ねよしひさ》先生という歴史学者です。

この先生が校訂《こうてい》した『青木周蔵自伝』（東洋文庫）を一年間かけて習って、ふと気づくと、それ以外の日本史はまったく教わりませんでした。よって、私たち筑波《つくば》大学附属《ふぞく》駒場《こまば》の生徒はみな自力で教科書と参考書を勉強して大学入試に臨《のぞ》みました。

これは笑い話のような例外ですが、とにかく計画を立てて古代から現代までをきちんと学習できるようにしましょう。

試験の本番に向けてまずやるべきこと

いざ、本番の試験を受ける段階になったら、どうすればよいか。取り組んできた勉強の成果を発揮するために、試験当日に心得ておいたほうが良いことがありますので、お伝えしましょう。

試験問題にとりかかる時、一問目を解こうとする前に、静かに考えてほしいことがあります。それは、受けようとする試験が要求する意図は何か、ということです。すなわち、問題の意図を探ることからまず始めるのです。

受験参考書を例に取りましょう。参考書を買うと最初の方のページに、解説が載《の》っていることがあります。「この科目の試験ではこういうものを要求しています」という情報です。そこに書いてあるような、「出題者の狙《ねら》い」を想像するのです。

大学入試では学校別の過去問題集、いわゆる「赤本」と呼ばれる問題集があります。赤本を最初のページからめくっていくと、「傾向《けいこう》と対策」という解説のページが添《そ》えられています。そこには、「この大学の教授たちはこういうことに関心がありますので、それに対応した受験準備が必要です」と書いてあります。

実は、あの解説にこそ、入試を突破《とっぱ》するための重要な手がかりが記されています。なぜかというと、予備校の英語主任のような立場にある先生が、過去問を二十年くらい研究した上で、解説を書いているからです。だから問題の傾向を外しようがないのです。まさに試験官が要求しているポイントを、受験のプロの先生が書いてくれているのですから、ここを読まない手はありません。

したがって、最初からむやみやたらに問題に取りかからない。これは受験の際の鉄則です。**まず、問題文をゆっくりと読んで、ここで何を要求されているのかを冷静に考えること**から始めましょう。

そうすると、必要なことはそれほど多くはないことに気づきます。最低限必要なことだけ満たせば、たいていの試験は通過できるのです。なお、大学受験の際に必要最小限のコンテンツは何か、またどう準備すればよいかは、『一生モノの受験活用術』（祥伝社《しょうでんしゃ》新書）という本にまとめておきました。世界史から物理から国語から数学まで、各科目のポイントと学び方を先に押《お》さえていただきたいと思います。

最後まで、ねばれ！

実際に試験を受ける段階において、特に私が重要だと思うのは「最後の粘《ねば》り」です。これは私自身が大学受験を通じて身につけたことです。おしまいまで試験問題を投げ出さずに、最後の一分一秒まで頑張《がんば》って解答した人が合格しています。これは今も昔も同じです。

大学入試では必ず部分点がもらえます。百点か零点《れいてん》かではないのです。採点者は、解答用紙に書かれた途中《とちゅう》の経過もていねいに見ています。「ここまでできているから五点あげよう」というように、必ずできたところまでの点数がもらえるのです。

そして最後には、そのような一点が勝負になってきます。だから、最後まで頑張った人が合格できる。つまり、最後まで粘るという力も、受験勉強で身につけることができるというわけです。実際、社会に出てからも、最後の粘りが大切になってくるのは、大人たちはみんな実感していることです。

休憩時間に脳を回復させるには

試験日にも効果的な脳の回復方法を紹介しましょう。私がよくするのは、休憩《きゅうけい》時間に甘《あま》い物を食べることです。一般《いっぱん》に、血糖値が下がると集中力が低下しがちです。よって頭を使う作業をしたあとには、チョコレートなどの甘い物を補給するのがおすすめです。

一口に「甘い物」といってもさまざまな原料や製法のおやつがあります。できればハチミツや黒糖など、天然の甘みを摂《と》るのが良いでしょう。私は、ハチミツを入れたヨーグルトを食べることがよくあります。ドライフルーツなども大好物です。果物《くだもの》や干し芋《いも》など、自然食品はミネラルやビタミン、食物繊維《せんい》が豊富なので健康的です。

他にも、日本には古くから親しまれた健康的なおやつがたくさんあります。きなこや小豆餡《あずきあん》なども、試してみると美味《おい》しさを再発見できます。コンビニで買うなら甘栗《あまぐり》なども良いでしょう。現在では、剝《む》いてある甘栗が小分けにして安価で販売《はんばい》されています。食物繊維やビタミン、鉄分などがバランスよく含まれる優秀《ゆうしゅう》なおやつと言えそうです。

第4章

受験を突破《とっぱ》した「後」の勉強法

実《じっ》践的《せんてき》なテクニックも含《ふく》めて、試験を突破《とっぱ》するための勉強法について、前章までくわしくお話ししてきました。ぜひ実際にやってみて、色々と試《ため》しながら、自分なりの方法に「カスタマイズ」して勉強に取り組んでほしいと思います。

そのポイントは、自分が楽にでき、かつ長続きするやり方です。

さあ、念願かなって、受験を突破しても勉強は終わりではありません。くり返しお話ししていますが、勉強は百年無敵《むてき》の「一生モノ」です。この章では、試験に合格した後の勉強について、お話ししましょう。

東大生の勉強法 vs. 京大生の勉強法

私は東京大学（東大）と京都大学（京大）の両方にかかわってきましたが、この二つの大学はかなり性格が違《ちが》います。私は京大に来てよかったと思っています。というのは、私は火山のマグマをイメージさせる赤い派手な服を着て京大生たちに授業をするのですが、東大ではそんな服を着ていたら先生として務まらないように思うからです（たぶん）。

この二つの大学は、学力的には差が全然ありませんが、雰囲気《ふんいき》がまったく違います。東大はシステマティックにきちっと教育します。それに対して京大は教授が教えたいことを自由に教える。このカラーはすでに明治時代から定まっていますし、未来永劫《えいごう》にわたって変わらないと思います。

加えて、私のような規格外の教授がその評価をさらに強化していますが、基本的に両方ともきわめて良い大学です。そしてまったく違った毛色の大学が、それぞれの特色を生かして日本でいい仕事をするというのが、とても大事なことなのです。

私は通産省（当時）の地質調査所に就職して十八年ほど野山を駆《か》け巡《めぐ》って、四十一歳《さい》で京大に着任しました。その時「こんなにいい大学があったのか！」と心底思い、大学受験に際して、他の大学についてくわしく調べず東大を選んだことを後悔《こうかい》したのです。

いえ、東大が悪いと言っているのでは決してなく、私にはあのキチンとした学校のやり方が合わなかっただけです。よって、京大で教えている学生や大学院生には、「折り目正しい教育を受けたかったら、修士もしくは博士から東大に行くとよい。私は断然京大が合ってるけどね」と講義で語ってきました。

ここで最近の京大生の様子を紹介《しょうかい》しておきましょう。大学受験の良い面と悪い面が表れていると思うからです。京大生が勉強に集中し晴れて合格してきたのはすばらしいことですが、一方でものの見方が非常に狭《せま》い若者がけっこういます。これまで大学受験に集中しすぎたため、ほかのことを切り捨ててきたのでしょう。したがって、社会に出るまでには、そこに対して手当てする必要があると思いました。

昔から「いかにも京大生」を略して「いか京」という言葉があります。つまり、賢《かしこ》いけれど、恰好《かっこう》に無頓着《むとんちゃく》で話もぶっきらぼう、なんとなく人間関係も下手《へた》な京大生を指しています。京大卒業生にもこうした性格の人物が少なからず見受けられます。

そこで私は、ここを「新いか京」に変えたいと思っています。たとえば、にこやかに人とコミュニケーションができて、周囲の人のため、もっと言えば社会貢献《こうけん》のため自分ができることは何か、についてしなやかに考えられる京大生です。

近年の傾向《けいこう》として、学問の専門化、高度化が推奨《すいしょう》されてきた結果、「教養をじっくり教える場」が損《そこ》なわれています。本当は専門性を深めること、人間として幅広《はばひろ》い教養を身につけること、その両方が大学時代には必要なのです。加えて、「頭でっかちな京大生には、遊び（オフ）の要素がまず必要」です。

たとえば、論理的・数理的な思考を重視する科学者の場合、左脳を使うことが多いですが、何かクリエイティブなことをしたり、ひらめくためには、実は右脳が重要です。そのためには、普段《ふだん》から「意識」の下にある「無意識」を活性化させておく必要があるのです。そうなるには、教養、読書法、芸術に対する感性、人とのつきあい方などを身につけないといけません。もちろんクラブ活動で体を動かしたり、音楽や映画など趣味《しゅみ》を広げることも大事です。旅行に出掛《でか》けて視野を広げることも良いでしょう。

また、私が京大に着任した二十数年ほど前の学生と今の京大生との違いも感じます。今の学生たちは、学ぶ姿勢がかなり「受け身」になっていると思います。それは、インターネットが普及《ふきゅう》して便利になり、情報があふれていることもその一因でしょう。このことに

教養とは？

自分の人生を自分でプロデュースする！

ついては第2章（54ページ）でも話題にしたので、ぜひ考えてみてください。

たしかに知識を得るためには、インターネットを活用してなんとかなる部分も大きいと思います。しかし自分でものを考える、プロデュースする能力がないと、変化のさらに激しい未来社会では致命的《ちめいてき》です。これを中学高校で身につけなければダメなのです。そういう意味で独学の勉強はとても大事です。まず自分の人生は自分でプロデュースするという意識を持って、あらゆる科目の勉強に取り組んでほしいと思います。

勉強以外に取り組んでほしいこと

中高生は勉強だけでも忙《いそが》しいと思いますが、思春期ど真ん中ですから勉強以外の面でも取り組んでほしいことがあります。すなわち、一生役立つ「教養」を身につけるということです。百年無敵《むてき》の勉強ベースとしての「教養」という考え方です。

もちろん、青春ですから同級生や先生、親とのコミュニケーションを大事にしてもらいたいです。友達や異性とのつきあい、先輩《せんぱい》とのつきあいだけでなく、今は課外学習で小学生やお年寄りなど、年齢《ねんれい》の離《はな》れた人とコミュニケーションをとる機会もあると思います。

こうした人間関係は視野を広げるためにとても大事で、世の中に出てから必ず役に立ちます。

もう一つは読書です。一人の時間の過ごし方として、今はネットやスマホがありますので、高校生は黙《だま》っていてもそちらに吸い上げられてしまいますが、私が真っ先に提案するのは読書です。

本を読むことで世界は確実に広がります。もちろん、**内容は電子書籍としてスマホでも手に入りますが、一番安くて効率がよく、いつでも読めるのは紙の本なのです。**

ここで、読書の仕方として具体的なアドバイスをしておきましょう。単に読むだけでなく、感想を書《か》き込《こ》んだり、線を引いたり、本を自分だけの「ノート」にしてほしいのです。

そうすると、二十歳《はたち》、三十歳《さい》、さらに四十歳や五十歳になって読み返したとき、「自分はあの時こんなことを思っていたのか」と思い起こすことができます。

私自身も、高校生のころに加藤周一《かとうしゅういち》著《ちょ》『羊の歌』を岩波新書で読んで、たくさん傍線《ぼうせん》を引き、あちこちに感想を書き込みました。すると、今読んでも懐《なつ》かしいし、改めて感動するのです。あのころ、こんなことを考えていたのか、と。

実は『羊の歌』には、三十代、四十代のときの書き込みもあり、この本が自分自身の歴史になっています。これこそが「自分の図書館」という意味での「ライブラリー」なのです。中学や高校の時に、このような一生のライブラリーとなる本に五冊でも十冊でもいいからぜひ出合ってもらいたいです。

ちなみに、私が中高生のころに熱中して読んだ本十二冊を、読書案内の形式でまとめてみたのが『理学博士の本棚《ほんだな》』（角川新書）という本です。サリンジャー著『キャッチャー・イン・ザ・ライ（ライ麦畑でつかまえて）』やヘッセ著『車輪の下』などいわゆる「中古典」と呼ばれる青春の名著の数々ですが、ぜひこうした自分専用のライブラリーを作ってほしいと願っています。

さて、本の読み方としては、「隙間《すきま》法《ほう》」をおすすめします。バス・電車の通学の時間や休み時間など、空き時間にカバンから取り出して、三ページでも四ページでもいいからぱっと読む。高校生が部活までの待ち時間などに岩波文庫を読んでいたらかっこいいです。きっと異性からも注目されます。どの本を読んだらかっこいいか、は若者にとっては大事なポイントでしょう。この点を意識して本を選ぶのも、楽しい時間になると思います。

読書は「我慢《が まん》大会」ではありません

この章では、百年無敵《む てき》の勉強の土台となる教養の大切さをお伝えしています。教養を身につけるための手段として、まず読書をおすすめしました。では効率よく本を読み、かつ嫌《きら》いにならずにこなしていくにはどうすればいいのでしょうか。

読書の途中《と ちゅう》で、難しくてかなわないと思った本は、誰《だれ》にもあることでしょう。そのときちょっとしたテクニックがあります。本を読んで分かりにくかったら、それは「著者が悪い」と考えるのです。本を読んで理解できないみなさんが悪いわけでは決してありません。

本当に学問を分かっている人は、読者にとっても分かりやすく、そしておもしろい本を書けるものです。そのように書けない著者は、本物の学者ではありません。だから、そういう本は読まないでもよろしい。ただちに読むのをやめるのが正解です。

すなわち、**難しいと思った本の九割は、著者の書き方が悪いと思ってください**。これは私が読書の初心者に対して最初に伝えたい考え方の根本です。たいへん乱暴なようですが、ここには読書の本質が含《ふく》まれています。

残念ながら、多くの学者は一般《いっぱん》の人に分かりやすく書くことは恥《はじ》だと考えています。難しいから高級だと勘違《かんちが》いしているのです。そんな人に付き合う必要はありません。だから、自分に合わない本は、すぐに読むのをやめましょう。合わないと思ったらただちに取《と》り替《か》えるのです。自分に分かりやすい本に出合うまで、どんどん本を替えて構いません。

読書は「我慢大会《がまん》」ではありません。世の中には、根気くらべのために書かれたとしか思えないような、分かりにくい本があるものです。そんな本はさっさと放《ほう》り出《だ》してよい。決して、自分の頭が悪いから分からない、とは思わないでください。世の中には、おもしろくて読みやすくてタメになる本が、必ずあります。だから書店に行って、自分の目で見て、いろいろ当たって探してください。学校内の図書室にも良い本があるかもしれません。

そもそも本は、一ページ目から読む必要はありません。今の自分にとって、関心のある所だけ読めばよいのです。必要ないところは、どんどん飛ばし読みしてかまわない。最後まできちんと読む義務はありません（51ページを参照してください）。

実は、本を読破することは、勲章《くんしょう》でも何でもないのです。自分の興味が湧《わ》く所、何となくひらめいた所から読み始めたらいい。そう気楽に考えてください。

確かに、時間がたったら分かるようになる本も、世の中にはけっこうあります。古典と言われるような本がそうですね。しかし、世紀の大古典と呼ばれるような本も、自分には関係ないと思ったら無理して読む必要はありません。今はご縁《えん》がなかったと考えて、あっさり横に置いておきましょう。

もし自分にとって重要な本ならば、年数がだいぶ経過してからでも、自分で再発見できるものです。いつか「ああそうだったのか」と膝《ひざ》を打つことがあるかもしれません。だからその時のために本棚にツンドクのも悪くありません。古典というのは、いつか膝を打たれることを待っている、そういう役割の本なのです。

本を文房具として使い倒す

本を読む際に大切な考え方があります。本は文房具《ぶんぼうぐ》として使ってもかまわない、ということです。高校時代に読んだ岩波新書を、一生のライブラリーにして、読んだ年代ごとの感想を書き込んでいる、というエピソードを先ほど紹介しました。すなわち本というのは、そもそも「使って」初めて役に立つものです。よく本にカバーをかけて、手垢《てあか》すらつかな

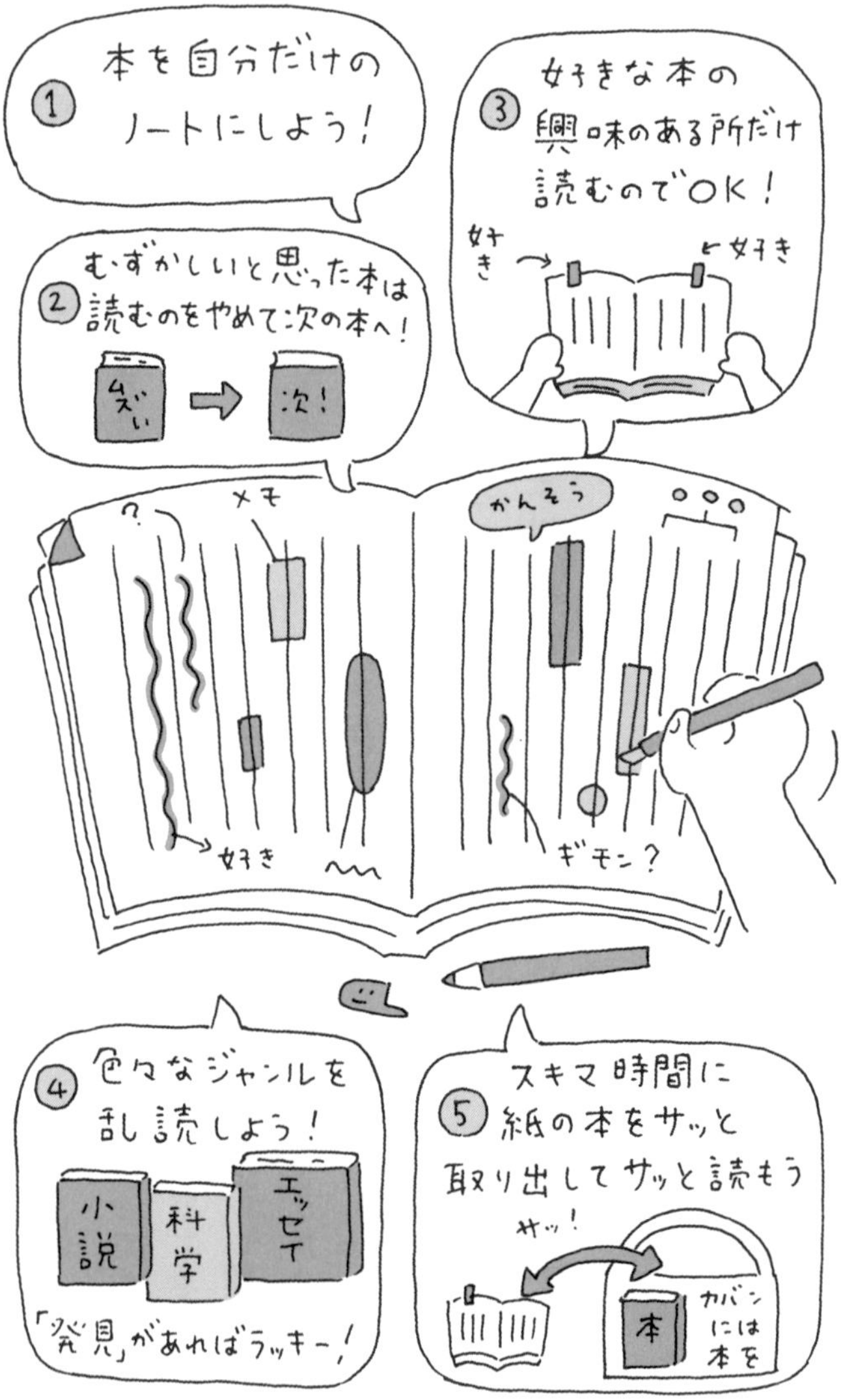

① 本を自分だけのノートにしよう！
② むずかしいと思った本は読むのをやめて次の本へ！
ムズい
次！
③ 好きな本の興味のある所だけ読むので〇K！
好き
好き
?
メモ
かんそう
好き
ギモン？
④ 色々なジャンルを乱読しよう！
小説
科学
エッセイ
「発見」があればラッキー！
⑤ スキマ時間に紙の本をサッと取り出してサッと読もう
サッ！
本
カバンには本を

いように大事に飾《かざ》っている人がいますが、それは本来の本の使い方ではありません。

私の本の使い方は、どんどん書き込みます。線を引いたり、マーカーで印を付けたり、ページを折ったりします。調べた内容をメモしたり、感想を書き込んだり。本には好きなことをどんどん書くことをおすすめします。そうやって、本をノート代わりに使《つか》い倒《たお》すのです。私にはそうした自分の本が今では宝物となっています。

書き込む内容としては、たとえば、「これは間違っている（自分の意見とは違う）」とか、「この内容は別の本にくわしく書いてある（その別の本の書名も）」とか、自分で発見したことを細かく書き付けるのです。だから、後で見たらポイントがすぐ分かるようになっています。

こうすれば、本を読んで勉強するのがとても楽しくなるし、本が自分だけの宝物になるでしょう。だから、本は文房具だと思って自由自在に使ってほしいと思います。

本はおもしろいと思うものから順番に読んでください。文房具としてどしどし「使い倒《たお》して」ください。こうして初めて、読書時間が「活《い》きた時間」となるのです。たとえ、みながすすめる本であっても、自分にとっておもしろくなければ身につきません。そういう本を我慢して読んでも、右から左に抜《ぬ》けていくだけです。これでは時間のムダでしょう。

逆に、ほんとうにおもしろいと思って読んでいれば、必ず自分自身が成長していく糧《かて》になります。だから最初のうちは、できるだけ色々なジャンルの本に挑戦《ちょうせん》するとよいのです。すなわち、「乱読」には大きな意味があります。思わぬところに、自分とフィットする書き手がいたりするからです。小説でもエッセイでも科学書でも何でも良いので、こうした「発見」をたくさん体験してほしいと思います。

教養が秘めた大きな力

人生を豊かにする教養の大切さについていろいろとお話ししてきましたが、実は、高校までの勉強でも一生役立つ「教養」を身につけることが十分できます。これまで、人生の成功とは、仕事がうまくいって、人間関係が良くて、そして豊かな趣味《しゅみ》の充実《じゅうじつ》だと書きました。この人間関係と趣味は、教養と大いに関係してくることです。

たとえば、恋人《こいびと》を選ぶ時を考えてみてください。自分が好きなことはとてもくわしいけれど、他のことは何も知らないし興味もない、というような人は、相手に好かれないでしょうね。了見《りょうけん》があまりにも狭《せま》いと、付き合いたいと相手は思ってくれません。

これと反対に、たくさんのことに興味を持っていて、色々おもしろいことを知っている人は、魅力的《みりょくてき》に見えるものです。だから良い人間関係を築《きず》くには、教養が大切なのです。

その良い例に、ウィンストン・チャーチル（一八七四〜一九六五）のエピソードがあります。第二次世界大戦の最中《さなか》にイギリスを勝利に導いた首相なのですが、彼《かれ》は何度か選挙に落ちたことがあります。その時に彼がどうしたかというと、ギボンが書いた『ローマ帝《てい》国衰亡史《こくすいぼうし》』（日本語訳はちくま学芸文庫）という歴史書をしっかりと読んでいたのです。

十八世紀の英国の著名な歴史家エドワード・ギボン（一七三七〜一七九四）が書いた本です。彼はローマ帝国がいかにして世界を制覇《せいは》し滅《ほろ》んでいったかを、誰《だれ》にでも読みやすく見事に解説しました。ちなみにギボンの叙述《じょじゅつ》は英文のお手本ともされています。

そしてチャーチルは選挙に落選した時期に、失意に落ち込むこともなく、世界の歴史を学び、同時にギボンの見事な文章力を身につけたのです。そのおかげで、後に首相になった時、雄弁《ゆうべん》な演説をすることができたと、自伝の中で語っています。

一九四〇年五月十三日、チャーチルが議会で行った演説がイギリス人を奮《ふる》い立たせました。ヒットラーの圧倒的な軍事力に押《お》されて劣勢《れっせい》に追い込まれていたイギリスが、敢然《かんぜん》と立ち上がったのです。そしてついに、大戦の勝利へと導くことができました。

そのいきさつはチャーチルの『第二次大戦回顧録《かいころく》』に活《い》き活《い》きと述べられています。こうした彼の演説を含む著作は後にノーベル文学賞を与えられました（くわしくは『座右の古典』〈ちくま文庫〉に紹介《しょうかい》しましたので読んでみてください）。

それくらい教養というのは、人生と社会の役に立つのです。もしチャーチルがギボンを読んでいなければ、イギリス、ひいては連合国側の第二次世界大戦の勝利はなかったかもしれません。教養は大きな力を持ちうるということを、ぜひ覚えていてください。

そして、そんなに大ごとではなくても、**未来の自分が豊かな人生を作る際にとても大切なのです。**しかも、**こうした教養が実は受験勉強の中で身につけられる**ことも知ってください。そもそもこの『第二次大戦回顧録』は、私が高校生の時、英語の時間に習ったから知ったのです。教養はどんな勉強の中にもご縁《えん》があるものなのです。

さて、私は日本の桃山《ももやま》時代に興味を持っていて、そのころに焼かれた備前焼《びぜんやき》がとても好きです。しかし、備前焼の背景にある日本史を、先ほど述べたように高校ではまったくと言ってよいほど学ばなかったので、何と今ごろになって勉強しています。高校を卒業して半世紀以上も経《た》ちますが、いま初めて学んでいて本当に楽しいです。

知識が好奇心の源泉になる

受験勉強を効率的にこなす「ノウハウ学力」に対して、教養が「コンテンツ学力」となります。つまり、受験のときに学んだ知識が教養の基礎《きそ》となるのです。おとなの好奇心《こうきしん》は赤ん坊《ぼう》の好奇心のモデルとは違い、知っているからこそ生まれるものです。したがって、知識を詰《つ》め込《こ》みすぎると好奇心がなくなってしまう、というのは明らかな間違いです。

研究現場でも、新しい発想をする人ほどさまざまなことを知っています。だからこそまったく違う発想で研究を組み立てることができるのです。守備範囲《はんい》が広いということは、それだけで武器になることなのです。

私は数学者の岡潔《おかきよし》（一九〇一～一九七八）をよく例に挙げます。彼は代数論で世界的な業績を挙げ文化勲章《くんしょう》も受賞していますが、数学以外には興味を示さない、いわゆるオタクの数学者ではありませんでした。

鎌倉《かまくら》時代の僧《そう》道元（一二〇〇～一二五三）が書いた仏教の禅宗《ぜんしゅう》についての『正法眼蔵《しょうぼうげんぞう》』や、松尾芭蕉《まつおばしょう》（一六四四～一六九四）の俳句の世界にも通じていて、両人の弟子《でし》であるとみずから名乗っていたほどです。そして岡自身が名著『春宵十話《しゅんしょうじゅうわ》』（角川ソフィア文庫）で、教養や人間の情緒《じょうちょ》こそが数学研究には必要だと力説しています。

したがって、第1章で述べたように受験勉強はシステマティックにこなして、時間を少しでも浮《う》かせるようにしましょう。こうして浮いた時間で自分の好奇心にまかせて教養を身につけてほしいのです。

大学受験で得た知識やノウハウは決して小さなものではない、という考えを私自身の経験として、二十四年間京大生たちに説《と》き続けてきました。受験を経験することで、ふだん関心のなかった内容に興味が湧《わ》いたり、その後の自分を助けるような能力を身につけたりできるからです。

第1章でも述べたように、受験にチャレンジすることは無用の努力ではなく、人生に不可欠な能力を身につける絶好のチャンスとなることをぜひ体験してほしいと思います。

なお、教養の勉強に関する話は、私の「京都大学最終講義」でもくわしく語りました。ユーチューブ上の京都大学オープンコースウェア（ＯＣＷ）で公開されていますので、ぜひご参考にしてください。

おわりに
〈地震も火山も多い危険な日本に、なぜ住んでいるのか？〉

私が専門とする地球科学の観点から、読者のみなさんの将来にかかわる大事なお話をして、この本を締《し》めくくりたいと思います。

日本の地盤《じばん》は二〇一一年に、非常に大きな変化を被《こうむ》りました。みなさんは幼かったため記憶《きおく》がおぼろげかもしれませんが、この年に日本のほぼ東半分を揺《ゆ》らした巨大《きょだい》な地震《じしん》が発生し、未曽有《みぞう》の災害をもたらした東日本大震災が発生しました。それ以後、日本列島は千年ぶりの「大地変動の時代」に突入《とつにゅう》してしまったのです。

こういう「想定外」がいつ起きてもおかしくない変動の時代こそ、「一生モノ」の学習が必要とされることを知っておいてください。この学習の基盤《きばん》に、日本人が好むと好まざるとにかかわらず経験する大学受験のための勉強が位置づけられるのです。

◆日本は今「大地変動の時代」まっただ中

さて、大地変動の時代に私たちの居場所は具体的にどうなったのでしょうか。

二〇一一年三月十一日、東北地方の三陸沖《さんりくおき》の太平洋の海底を震源とするマグニチュード9の巨大地震（東北地方太平洋沖地震）が発生し、これによって地盤《じばん》が東西に五メートルほど引き延ばされました。そして同時に起きた巨大な津波《つなみ》によって二万人近い方が犠牲《ぎせい》となり、「東日本大震災」と名づけられています（『地震はなぜ起きる？』〈岩波ジュニアスタートブックス〉に、くわしく書きました）。

その後、日本列島では地震と火山の噴火《ふんか》がひっきりなしに起きています。すなわち、地下の状態が非常に不安定になったままで継続《けいぞく》しています。その結果、これらが元に戻《もど》っていく過程で、日本で起こる地震や火山の噴火が増えているのです。

これだけ聞くとちょっと恐《こわ》くなりますが、大丈夫《だいじょうぶ》です。日本はこれまでに幾度《いくど》となく大地震に見舞《みま》われ、そのたびに復興してきました。これは西洋にはあまりないことで、日本人は揺《ゆ》れる大地の上で上手《じょうず》に生きる術《すべ》を知っているのです。

そして火山の研究も日本は非常に進んでいて、地下のマグマが動く時に起きる地震や地殻《ちかく》変動を観測することで、かなりの程度、噴火の予知ができるのです（『京大人

気講義　生き抜《ぬ》くための地震学』〈ちくま新書〉に、くわしく書きました）。

すなわち、科学の力で予知できれば、前もって避難《ひなん》できますし、被害《ひがい》に遭《あ》わなくて済むのです。自然災害の多い国ゆえに発達した「知恵《ちえ》」により、私たちは災害を未然に防いだり、大幅《おおはば》に減らしたりできるのです。

社会科の地理でも習ったように、日本は石油や石炭などのエネルギー資源もなく、地震が多くて、火山が噴火して、台風も来る。居場所としてはかなり不利な条件です。でも、その中で何を拠《よ》り所《どころ》にして生きてきたかというと、それは「人材」なのです。国土には何もなくても、人が学んで知識をつけ賢《かしこ》くなることで、悪条件を撥《は》ねのけて発展してきた国です。土地が狭《せま》く、地震が多く、地下資源がないゆえに発展できたというのは、地学を学ぶおもしろい視点となるのではないでしょうか。興味をもった方は私が中高生向けに書いた『地学のツボ』（ちくまプリマー新書）と『地学ノススメ』（講談社ブルーバックス）を参考にしていただけたら幸いです。

◆ＡＩ時代に、何を勉強するか

自分は何を知らないのかを知る、そして過去の定説や常識とされていることをまず疑って、自分なりに思考を深めていく。そのきっかけを与《あた》えてくれるのが勉強であり、そうした探究の技術を大切にすることで、この先の不確実な時代にも対応する力をつけていくことができるのです。

近年、コンピュータの発達で社会は大きく変わりつつあります。とくに進化の著《いちじる》しいのが「AI（人工知能）」です。近い将来、人間が行う多くの仕事をAIが担《にな》うようになると言われています。実際、さまざまな分野ですでにAIは使われ始めています。この本の中で繰《く》り返《かえ》し述べてきた「人類の遺産」の最先端《さいせんたん》のものとしてAIがあり、私たちはすでに、AIが当たり前にある暮らしを日々生きています。

人間にはできて、AIにはできないことは何か。それを見つけていく際のヒントも勉強にあります。だから、人工知能にできることはさっさと人工知能に渡《わた》して、その人工知能を動かすための頭脳を勉強で鍛《きた》えていく。それがAI時代に暮らす賢《かしこ》い生き方になっていくことでしょう。

たとえば人の心を動かす、感情を揺《ゆ》さぶるといったことはAIには不可能です。カウンセラーのように人の心と向き合い、気づきをもたらす職業は人にしかできません。

宗教が果たす役割のようなこともAIにはできないでしょう。聖書や『歎異抄《たんにしょう》』などの宗教書の古典（これらも、「人類の遺産」の一つです）を読むことで感動し、人生を変えた人はたくさんいますが、宗教書や哲学書《てつがくしょ》が果たしてきた役割は、テクノロジーがどんなに発達しても変わらないものです。

たしかにＡＩはパターン化した情報操作は得意です。しかし人生はパターン化できない偶然《ぐうぜん》に満ちています。同様に地球も、パターン化できない「想定外」にあふれています。この中で求められるのは臨機応変に対応する力であり、そうした力を発揮できるアウトプット力なのです。まさに「百年無敵《むてき》」の勉強で身につけてほしい能力です。

さまざまな想定外の事態に臨機応変に対応していく力を養う最も簡単な方法は、活《い》きた勉強にあると私は思います。書籍《しょせき》は知の集積であり、知的財産そのものです。

たとえば、古代の哲学者ソクラテス（紀元前四七〇年ころ〜紀元前三九九年）や近代科学の創始者デカルト（一五九六〜一六五〇）たちは、はるか昔に人間の知性の本質を喝破《かっぱ》しました（『知的生産な生き方』〈東洋経済新報社〉にくわしく書きました）。これも本を読むことで簡単に知ることができます。

このように、本を通じて新しいことを「学び」、自分を変えていくことができるのです。その際、勉強を通して新たな知恵《ちえ》を蓄積《ちくせき》していく、それが多ければ多いほど、またそれを使いこなせる人ほど、来《きた》るAI全盛時代も乗り切っていけることでしょう。

◆勉強することの一番の報酬は……

最後に、勉強に関して伝えたいメッセージがあります。いつも京大生にも言っていることですが、「ノブレス・オブリージュ（noblesse oblige)」という言葉です。

元々はフランス語で、「地位ある者は責任を伴《ともな》う」という意味です。昔、ヨーロッパの貴族は、普段《ふだん》は遊んでいても、いざ戦争が起きると軍隊の先頭に立って、領民を守る義務を果敢《かかん》に果たしました。

これまで京大生は良い教育を受けてきたので、社会に出てから人々に還元《かんげん》する義務があると思います。実は、京大生に限らず、すべての中高生にも同じことが言えます。というのは、この世で命を授《さず》かり、無事に中学や高校に通っているだけで、ノーブル(高貴）な生命存在と言えるからです。

ここには私が学んできた地球科学の蓄積があります。つまり、三十八億年の生命を受《う》け継《つ》ぎ、生きているだけで、本当はノーブルなのです（46ページ）。そもそも中学生や高校生が何のために勉強するかというと、そのノーブルなみなさんがいずれ社会に出て還元するためです。

それがノブレス・オブリージュの本来の意味だと私は思います。そして実は、社会に還元すること自体が、もっとも楽しいことなのです。このことを読者のみなさんにはぜひ伝えたいのです。

最後になりましたが、本書の完成まで筑摩《ちくま》書房の伊藤笑子さんには大変お世話になりました。これまで『地学のツボ』（ちくまプリマー新書）、『座右の古典』（ちくま文庫）、『やりなおし高校地学』（ちくま新書）、『新版 一生モノの勉強法』（ちくま文庫）の四冊について、中学生や高校生にも読めるようにいろいろ工夫して分かりやすい本を一緒《いっしょ》に作ってきました。いずれもこの本に続く入門書なので、読者のみなさんにはこれらの本も手に取っていただけることを願っています。

活《い》きた勉強法を全国の若者に伝える京都大学の新研究室にて

鎌田《かまた》浩毅《ひろき》

次に読んでほしい本

私が何回も読み返した中高生に薦《すす》めたい本が三冊ある。

サリンジャー著『キャッチャー・イン・ザ・ライ』（村上春樹《むらかみはるき》翻訳《ほんやく》、白水社）は、高校に通う少年の日常をみずみずしいタッチで描《えが》いた永遠の青春文学だ。大人の世界と葛藤《かっとう》する不安定な心理描写《びょうしゃ》が、今も共感を呼び起こす。ちなみに、今でも決して古びておらず、現代の中高生も感動できる「中古典」十二冊を解説した『理学博士の本棚《ほんだな》』（角川新書）に選んだ本でもある。

青春には不安が付きものだが、『ラッセル幸福論』（安藤貞雄《あんどうさだお》翻訳、岩波文庫）は見事にそれを払拭《ふっしょく》してくれる。二十世紀最高の知性とされる数学者・哲学者《てつがくしゃ》のバートランド・ラッセル卿《きょう》が、幸福に生きるためのユニークな方策を開示した。

「周到《しゅうとう》な努力をすれば誰《だれ》でも幸せになれる」と熱く語る本書に出合ったのは、母校の筑波《つくば》大学附属駒場《ふぞくこまば》中学三年の秋だ。高校生になるとラッセルの名前が英文読解のテキストに頻《ひん》出《しゅつ》した。著者のおかげで英語が好きになり、後に火山学者になってから米国留学中に古書店に立ち寄り原書を買い集めたほどだ。その邂逅《かいこう》は『座右の古典』（ちくま文庫）にくわしく述べた。私にとって、今でもウィンストン・チャーチル（111ページ）とともに人生の目標である。

三冊目はジェームズ・ワトソン著『二重らせん』（江上不二夫《えがみふじお》、中村桂子《なかむらけいこ》翻訳、講談社ブルーバックス）だ。著者は弱冠《じゃっかん》二十五歳《さい》でDNAの二重らせん構造を突き止めノーベル生理学・医学賞を受賞した。ワトソンは生物学に革命をもたらした大発見をめぐる激烈《げきれつ》な競争を赤裸々《せきらら》に描いており、世界中でベストセラーになった。

私は京都大学で二十四年間、学生たちに毎年推薦《すいせん》してきたが、その甲斐《かい》あってか科学者をめざす若者が少なからず続出した。さらに「活《い》きた時間」を過ごす科学者として『世界がわかる理系の名著』（文春新書）にも紹介《しょうかい》した。

ぜひ中高生時代に、世界の扉《とびら》を開いてくれる名著に挑戦《ちょうせん》してみよう。

さくいん

（用語・本の名前・人の名前について調べたいときに、それぞれの説明が載っているページを五十音順で示します。★は本の名前、☆は人の名前を表します）

あ行

か行

さくいん

た行

な行

は行

さくいん

鎌田浩毅

かまた・ひろき

1955年東京生まれ。筑波大学附属駒場中学・高等学校卒業。東京大学理学部地学科卒業。通産省主任研究官、京都大学大学院人間・環境学研究科教授を経て、現在京都大学名誉教授・同経営管理大学院客員教授・龍谷大学客員教授。専門は火山学、地球科学、科学教育。「京大人気No.1教授」の「科学の伝道師」。著書は『新版 一生モノの勉強法』『座右の古典』(共にちくま文庫)、『やりなおし高校地学』(ちくま新書)、『地学のツボ』(ちくまプリマー新書)など。

ちくまQブックス

100年無敵《ねんむてき》の勉強法《べんきょうほう》

何《なん》のために学《まな》ぶのか?

2021年9月15日　初版第一刷発行
2024年5月20日　初版第五刷発行

著　者　　鎌田浩毅
装　幀　　鈴木千佳子
発行者　　喜入冬子
発行所　　株式会社筑摩書房
　　　　　東京都台東区蔵前2-5-3　〒111-8755
　　　　　電話番号03-5687-2601(代表)
印刷・製本　中央精版印刷株式会社

©KAMATA HIROKI 2021 Printed in Japan　ISBN978-4-480-25113-8　C0395